René Frégni

Les vivants
au prix des morts

Gallimard

*Pour tous les libraires qui me soutiennent
depuis mon premier livre et me permettent d'écrire
et de vivre librement.*

On compare parfois la cruauté de l'homme à
celle des fauves, c'est faire injure à ces derniers.

DOSTOÏEVSKI

Le monde est un livre et ceux
Qui ne voyagent pas
N'en lisent qu'une page.

SAINT AUGUSTIN

Je ne parlerai pas, je ne penserai rien :
Mais l'amour infini me montera dans l'âme.

ARTHUR RIMBAUD

1er janvier

Christiane m'a invité à partager avec elle un tagine d'agneau, aux petits légumes et pruneaux, dans son étrange maison rouge.

Elle avait accroché quelques cadeaux à un cerisier. Au bout d'une branche il y avait ce cahier, rouge comme la maison et l'écorce de l'arbre. J'ai décidé en rentrant chez moi d'écrire chaque jour quelques mots, parler des nuages qui se déchirent sur la cage de fer qui domine le clocher, des mésanges bleues qui viennent déchiqueter les petits fruits orange des buissons ardents, des gens que je vois passer sur la route, au-dessus de la maison, trois ou quatre par jour.

Ceux que l'on voit à la télé font des choses exceptionnelles pour exister, d'horribles grimaces pour être aimés. Il faut souvent mourir pour briller une dernière fois.

J'ai envie d'inventer la vie de gens simples, ceux que je vois passer sur la route. Dès qu'ils disparaissent dans la colline, j'invente leur vie. Ces nuages, ces quelques silhouettes qui entrent dans la brume.

Il y a quelque temps que les corbeaux ne sont pas revenus sur le grand chêne. Ils m'intéressent plus que tous ces morts qui défilent à la télé, de plus en plus sanglants et nombreux. C'est difficile de sidérer les foules plus de deux fois par an. On commence par trois gouttes de sang, puis il en faut des seaux. Nous sommes insatiables ! Si un fleuve de sang ne traverse pas nos écrans nous changeons de chaîne, nous cherchons le canal où coule le sang.

Ce qui me sidère chaque jour, c'est la vie de cette vallée, trois maisons au bord d'une rivière, la pierre blonde d'un pont, la beauté du silence, une femme qui appelle son chien autour de l'église, avec des intonations sourdement érotiques, une complicité d'amants.

Depuis quelques mois je me disais en marchant seul dans les collines : « Déniche une belle intrigue, une atmosphère bien sombre. Descends voir tes fantômes et lance-toi dans un beau roman noir... » Je me suis retrouvé tout à l'heure avec ce cahier dans les mains. J'ai écrit la date d'aujourd'hui sur la première page et sans réfléchir, j'ai commencé ce journal, parce que le cahier était épais, agréable à toucher et surtout rouge, d'un rouge qui réveille les mots. J'ai commencé à écrire comme on rencontre une femme, n'importe où, brusquement, sans réfléchir. On la prend dans ses mains et on lui fait l'amour. On la déshabille parce qu'elle a une magnifique robe rouge. On ouvre la robe et on voit toute la beauté de la vie. Chaque mot est une robe rouge palpitante de vie.

2 janvier

Hier j'ai regardé tout le jour les mésanges et la brume. Aujourd'hui j'ai vu Isabelle revenir du marché par le petit chemin qui grimpe sous les amandiers. Elle sait que je la guette et l'observe à travers les rideaux de la cuisine, ça ne perturbe ni son pas ni son sourire. Son cabas est plein de petits cadeaux qu'elle achète sous les platanes, gelée de coings, nougat aux amandes de Provence, macarons, une nappe abricot, des navettes de Saint-Victor, un chapeau années trente.

Elle est née dans cette vallée où coule le Verdon. Je l'ai aperçue il y a dix-huit ans, elle faisait craquer la neige sur ce même chemin, les amandiers étaient blancs. Il y a dix-huit ans que je la regarde marcher sur tous les chemins trempés, glacés ou éclatés par nos étés torrides. Elle est sur ces chemins comme sur chaque page de mes cahiers. Je ferme les yeux et je dessine sa silhouette qui ouvre les roseaux, écarte les griffes d'une ronce, franchit un ruisseau comme un oiseau qui entrouvre ses ailes pour bondir sur le galet suivant.

Troisième page blanche de ce cahier qui en contient trois cent soixante-cinq. Tout le monde devrait s'amuser à jeter quelques mots, sans trop réfléchir ni avoir peur, sur la page blanche de chaque jour. Comme on ramasse quelques pierres, plates et rondes, le long d'une rivière, pour le plaisir de les lancer dans un miroir plein d'oiseaux, de lumière et de nuages, et les voir rebondir dans une longue phrase de perles d'eau.

Peu importe le choix des mots, tous font l'affaire, tous ne demandent qu'à vivre, à fuser sur la page, à étinceler un instant.

À vingt ans je cherchais la vérité sous les mots. Il devait bien y avoir une vérité à découvrir, à recomposer. Je tripotais chaque mot, le secouais, tentais de l'emboîter dans un autre. À quoi sinon serviraient les livres ? Une vérité universelle qu'il suffisait d'attraper pour réussir sa vie. J'interrompais ma lecture, scrutais ma mémoire, le ciel... Je cherchais la clé.

Aujourd'hui je ne me soucie plus de la réalité. J'ai même abandonné l'idée de raconter une histoire. Il faut des années pour raconter une seule histoire, alors que des centaines viennent vous percuter chaque jour. Ni vérité, ni réalité, ni histoire. Dans ce cahier je ne jetterai que le hasard, un mot ramassé sur un chemin, un visage blême surgi d'un rêve, la première neige aperçue ce matin sur le bleu transparent des collines, quelqu'un qui passe sur la route, derrière les chênes, et que je ne vois pas.

Je vois passer chaque jour deux femmes, l'une est grande et dodue, l'autre minuscule et agitée. Je les vois arriver vers deux heures de l'après-midi, du côté de l'église. Elles montent du village par les buis de la Renarde, trempés d'humidité. La minuscule parle, enfin, elle croit parler, elle crie, grince, se plaint d'une voix qui déchire l'oreille. L'autre écoute et se tait. Elles disparaissent dans le premier vallon.

Lorsqu'elles repassent derrière la maison, trois heures plus tard, la chétive grince toujours, hurle, se plaint avec la même véhémence et cette voix de crécelle qui raye le silence. Elle semble terrorisée par le silence. Elle le traque jusqu'au fond des forêts. La dodue l'écoute encore, sans se lasser. Et chaque jour l'une grince dans le silence de l'autre.

4 janvier

Isabelle a repris ce matin le chemin de l'école. Je l'entends se préparer derrière la cloison, sortir de la douche, rincer sa tasse, choisir un manteau. Puis la maison est silencieuse. Dans la cuisine je trouve l'odeur du café et son parfum de vanille. Je n'écoute pas la radio longtemps, ce n'est que chaos, bains de sang, petits arrangements entre amis qui se détestent, mensonges et corruption. Les mêmes mensonges que la veille.

Il y a près d'un demi-siècle, la jeunesse dont je faisais partie a cru qu'advenait enfin le règne de l'amour, de la générosité ; nous l'avons écrit sur tous les murs de nos villes. Celui de l'égoïsme triomphe partout. De l'égoïsme et de la barbarie. Je ne me suis pas trompé, j'avais vingt ans… Je ne suis pas devenu cruel, ni avide de pouvoir, je suis devenu solitaire. J'observe les hommes, je fréquente les arbres.

Je bois mon café dans le silence et ce parfum de vanille. J'ai de plus en plus besoin de silence. Sur les belles pivoines rouges de la toile cirée, j'écris quelques mots, mon bol dans une main, mon stylo dans l'autre. Ils ne font pas plus de bruit que les petits bonds de la grande aiguille de l'horloge au-dessus de ma tête, ils tombent sur ma page comme des gouttes de vie.

Chacun de nous devrait commencer sa journée par un café et quelques mots dessinés sur un cahier rouge. Caresser chaque matin, juste avant le jour, la blancheur si douce d'une page, y tracer les contours de sa vie. Sentir le premier mot couler le long du bras, réchauffer la main, faire rouler le stylo entre les doigts. Voir apparaître une petite trace, quelques griffes d'oiseau sur la neige de la page. Profiter de cette blancheur, de ce silence, pour inventer sa vie.

Un peu plus tard je pousse les volets, j'observe les mésanges dans les buissons ardents et le laurier-tin. Le Luberon est aussi bleu que les plumes de leurs ailes et le duvet de leurs têtes rondes. Le jour glisse le long du clocher comme une main sur une cuisse blonde.

5 janvier

Isabelle est partie à l'école avec de la farine, des œufs, du lait, du beurre et des pommes. Elle va préparer un gâteau avec ses vingt-huit enfants de quatre ans. Elle fait les premiers gestes et maladroitement les enfants se mettent au travail. Voilà ce que devraient faire plus souvent nos hommes politiques, des gâteaux aux pommes avec des enfants de quatre ans. Les mains dans la farine ils en seraient plus humains, plus modestes. Ils oublieraient un instant de détruire tous ceux qui les entourent et menacent leur carrière. Ils assassineraient père et mère tant est sans limites leur besoin frénétique d'être aimés, admirés, applaudis.

Isabelle est au milieu de vingt-huit enfants. Elle ne demande rien. Tous l'adorent parce qu'elle prépare avec eux un gâteau aux pommes. Elle le leur fait goûter en souriant et s'en va, le soir, marcher dans les collines. Elle est avec les arbres et les oiseaux comme avec les enfants. Rien n'est plus simple que l'amour, il faut faire en souriant quelques gestes simples. Les grimaces ne créent que des grimaces d'amour. Les hommes politiques confondent les mots « succès », « gloire », avec le mot « amour ». Ils vivent dans un monde de grimaces.

Les hommes et les femmes de pouvoir construisent leur image, leur célébrité, obsessionnellement. Isabelle construit des femmes et des hommes, avec douceur, modestie, dans une odeur de pommes et de caramel. Les enfants donnent tant de choses à Isabelle que chaque jour elle en est un peu plus jolie.

6 janvier

Isabelle est partie à huit heures. Il faisait encore nuit à cause de la pluie. J'aime ce silence qui entoure mon bol de café noir, mon cahier. Le choix du cahier et du stylo est très important, plus important que celui du vêtement que l'on tire de l'armoire selon la couleur du ciel. On retrouve cahier et stylo chaque matin, pendant des années, avec appréhension et gourmandise. J'aime les cahiers rouges et l'encre bleue.

Tony écrivait chaque matin, dès six heures, sur son petit ordinateur, depuis la fin de sa détention. Au dernier coup de neuf heures mon téléphone sonnait et il me lisait ses trois pages, comme il avait commencé à le faire durant sa vingt-sixième année de prison, où je le retrouvais chaque semaine.

Ses deux premiers romans, il me les a lus au

téléphone. C'étaient les premiers mots qu'il prononçait de la journée, sa voix était mâchée par le tabac, les années de cellule et l'engourdissement de la nuit. Je l'écoutais un stylo à la main.

Lorsqu'il avait terminé, je laissais s'installer un silence un peu inquiétant et je relisais mes notes griffonnées sur des lambeaux de papier que je tirais de ma corbeille, sous le bureau.

Tony avait été généreux durant toute sa vie avec l'argent des autres. Il m'aurait décroché la lune pour les trois conseils que je lui prodiguais chaque jour, toujours les mêmes, un adverbe prétentieux, une préciosité, une expression n'ayant même plus cours dans les salons où il ne mettait jamais les pieds. Des faux pas d'autodidacte.

Jusqu'à son dernier râle, il s'est accroché aux mots. Il me disait : « Toute ma vie j'ai bandé pour les fourgons, maintenant je bande pour les mots. Je préfère ouvrir mon ordinateur plutôt que la salle des coffres d'une banque. »

Il s'était installé à Nice, au-dessus du port, chez une femme qui était tombée amoureuse de la malice glacée de ses yeux, elle était allée le voir et lui apporter du linge propre dans tous les parloirs de toutes les prisons, pendant vingt-six ans.

Tony écrivait en regardant les ferries partir pour la Corse, à travers les géraniums de la terrasse, sous le rire matinal des gabians.

Chaque jour, à neuf heures du matin, je pense à lui. Heure où mon cahier est ouvert sur la toile cirée de la cuisine, au milieu des pivoines. J'ai vu par la fenêtre des gens partir au travail, dans le bleu de plus en plus pâle de la vallée.

Quand il pleut les oiseaux arrivent plus tard. Une femme passe sur la route avec un chien et un parapluie rose.

7 janvier

J'ai observé les oiseaux une bonne partie de la journée. Un couple de verdiers sous une pluie battante, les ailes et la queue soulignées au pinceau d'un jaune bouton d'or, puis une troupe de pinsons, capuchon gris, poitrine orangée. Ils déchirent de leurs becs les fruits du pyracantha. Leurs têtes rondes roulent à près de trois cent soixante degrés. Un fruit, un coup d'œil. Aussi colorés que vigilants et vifs. Sans cesse aux aguets. Quelle vie…

Le plus goulu est le simple moineau. Il saccage tout avec désinvolture. En quelques secondes il détruit toute une grappe. C'est le voyou des haies. Le moins éclatant de tous, le plus gris, mais quel pirate, quelle arrogance. On dirait qu'il ne craint ni le furet ni le chat, il chaparde, déchire, avale, rejette. Il s'empiffre ! Il est sans doute le plus rond de tous. C'est moi, c'est nous, quand nous avions quinze ans, dans ce quartier écarté de Marseille. Chez nous partout, comme les rois et les voleurs. Nous étions gris, débraillés, solaires. Nous faisions main basse sur tout.

Soudain le moineau fuse, il va dévaster le buisson suivant.

8 janvier

Ce sont les morts qui font vendre les journaux. Les jours où il n'y en a pas, ils restent en piles. Il faut alors inventer des morts, dénicher des morts, nourrir la bête qui est en chacun de nous, vorace. Nous aimons entendre le bruit des morts. Comment expliquer cette passion nécrophile ?

La planète est si vaste, si barbare l'homme, qu'il n'est pas difficile de déverser des flots de sang. Nous sommes fascinés par le sang. Les femmes sont de plus en plus nombreuses à emprunter les routes du sang. Il y a quelques années encore, elles laissaient ça aux hommes ; elles partagent avec nous, à présent, cette esthétique de la mort. Le progrès est partout.

Des mots sont apparus et roulent sur toutes les ondes, dès l'aube. «Kalachnikov», «hachoir», «ceinture d'explosifs», «tuerie», «massacre», «viol collectif» et autres bestialités matinales. Terreur, souffrance et sidération… Nous avons besoin de cet opéra macabre pendant que chante le café.

Je viens d'entendre qu'un jeune homme a vidé un chargeur dans la tête de sa mère parce qu'elle l'empêchait de partir pour la Syrie ou vers je ne sais quel carnage. Cent personnes assistaient calmement à la scène. En Allemagne on republie *Mein Kampf* annoté, c'est plus propre. La Bourse s'effondre en Chine. On respire du méthane à Los Angeles. Une mère a noyé son petit garçon dans la baignoire, elle lui trouvait le sexe trop petit. L'angoisse se vend mieux que la joie.

J'ai grandi sous les appels à la révolution permanente. Nous sommes entrés dans les régions de l'assassinat permanent. La couleur rouge lie ces deux mondes, c'est la plus chargée d'émotion. Le sang nous éblouit et nous horrifie. J'écris sur un cahier rouge.

Je me demande si quelqu'un trouvera quelque chose, dans ce cahier où il n'y a que des oiseaux, du silence, des hameaux qui sortent de la brume et les longs yeux verts d'Isabelle, son rire si clair qu'il va chercher je ne sais quoi d'érotique et de gai, très loin dans mon ventre.

En quête d'un mot j'ai tourné la tête vers la fenêtre. Deux verdiers m'ont aperçu de la haie toute proche, ils ont fusé. Le moineau n'a pas bronché, il déchiquette. Lui aussi voit ma tête à travers la vitre. Il ne craint personne. Il est rond de sucre et de confiance. C'est un minot de mon quartier, impertinent et fragile.

Entre deux becquées de pulpe orangée, je l'entends marmonner «On craint dégun!» et il saccage le fruit suivant, son œil rond, souligné de khôl, braqué sur la fenêtre. Il me plaît ce brigand.

9 janvier

Presque chaque jour je pars marcher dans les collines. J'aime être seul sur les chemins. Dès qu'on quitte le petit vallon d'Isabelle, ça grimpe raide dans l'odeur des pins. Par ici les sentiers sont ocre ; ils sont pourpres après la pluie.

Depuis quelques jours il pleut. Les petits chênes n'ont pas encore perdu leurs feuilles, sur les pentes exposées à un soleil qui est à bout de force. On dirait des troupeaux de renards qui se chauffent. Sur le tronc de certains d'entre eux, il y a des trous allongés, semblables à des sexes de femme aux lèvres boursouflées.

On entend au loin la longue plainte des chiens de chasse et, parfois, deux coups de feu étouffés par l'épaisseur de la forêt. Que reste-t-il de vivant après Noël ? Quelques sangliers… L'homme est un danger pour tout ce qui est vivant. Je suis un morceau de ce danger, même si je ne fonce pas sur ces chemins avec un 4 × 4 couvert de boue, chien, fusil et regard farouche. D'où tenons-nous un tel désir de puissance destructrice ?

Je grimpe une bonne heure et j'arrive sur la crête. Il y a quelques années, une tempête a tout dévasté là-dessus. De grands pins renversés ouvrent encore, comme des mains, leurs racines sanglantes d'argile. D'autres pins, sous la chevelure blanche des lichens, ressemblent à des vieillards égarés. Le buis embaume et étincelle.

Le vent a la respiration longue de la mer. J'ai grandi presque nu sur les rochers blancs qui plongent dans la mer, tout le long de Marseille. Aujourd'hui j'écoute respirer la colline.

Je contourne des flaques larges comme des étangs. Quand je passe près d'un abreuvoir construit pour attirer le gibier, je tousse, de peur qu'on me tire dessus, surtout à la tombée de la nuit. Le romarin est partout en fleur, d'un bleu plus intense que l'été.

Quand je redescends, à travers les terrasses d'oliviers, je vois s'ouvrir la vallée. À quelques kilomètres, au bord d'un canal, des hommes construisent sous terre un soleil que je ne verrai pas, un soleil artificiel. J'aime tellement celui-ci qui m'accompagne chaque jour dans le bleu des collines.

En marchant je pense aux seins d'Isabelle. La nuit, je glisse ma main sous sa chemise de coton, caresse son ventre du bout des doigts, remonte. J'enferme l'un de ses seins dans ma main, souvent le gauche, il est rond, souple et chaud. Même dans son sommeil, la pointe durcit, se dresse. Isabelle remue à peine. Je fais bouger ses rêves.

Aux quatre coins de la nuit des gens se massacrent. Je me rendors la main pleine d'amour… Si tous ces fous sanglants avaient dans leurs mains la souplesse merveilleuse d'un sein…

Quand je m'approche du village, les chemins sont gorgés de feuilles rousses qui ne craquent pas après la pluie. Des tas de jouets, déjà cassés, traînent dans les premiers jardins où se promènent des poules et parfois une chèvre. Des fumées bleues glissent sur les toits et par les petites ruelles caladées montent vers l'église. Pendant quelques instants le clocher danse, dans une robe bleue.

10 janvier

Voilà deux nuits que d'horribles cauchemars m'arrachent au sommeil. Je me retrouve assis dans le lit, draps et couvertures rejetés.

Dans le premier cauchemar, je tiens dans le creux de mes mains ma fille minuscule. Elle est toute nue et glacée. Elle n'a pas plus de trois mois. Ses yeux sont fermés et je sais qu'elle est morte. Lentement ses paupières se soulèvent, elle me regarde et me dit : « Papa, donne-moi du lait et de la crème de marron. »

Cette nuit le cauchemar était encore plus terrible : je regarde la télévision en caressant la tête d'un labrador. Des amis arrivent avec le jumeau du labrador et nous caressons en riant les deux têtes. Soudain, je me demande où est passée ma fille. Je l'ai complètement oubliée. Je cours dans tout l'appartement, regarde sous les meubles. Rien. Je me précipite sur la porte d'entrée et je la vois, à plat ventre sur les tomettes du palier. Elle est minuscule, toute nue et n'a pas trois mois.

Elle rampe pour voir les profondeurs de la cage d'escalier. Je bondis pour la rattraper mais elle m'échappe, bascule dans le vide. Je me penche par-dessus la rampe. Elle est quatre étages plus bas, étendue sur le dos, la colonne vertébrale brisée. Son regard est très triste.

Deux fois de suite, assis dans le lit dévasté, au milieu de la nuit. Que signifient ces cauchemars ? Marilou vient d'emménager dans un studio d'étudiant au quatrième étage, dans le centre ancien de Montpellier. J'ai remarqué en l'aidant à s'installer que l'appui des fenêtres était très bas et je sais qu'elle se penche pour étendre son linge.

Est-ce que je me sens coupable de ne plus veiller sur elle jour et nuit ? Lorsqu'elle était petite je la surveillais comme le lait sur le feu. J'avais installé des crochets de sécurité à chaque fenêtre. Je ne peux pas la suivre partout dans sa vie et visser des crochets.

Ces cauchemars me laissent anxieux tout le jour. J'ai beau aller marcher dans la forêt, j'ai devant les yeux ce petit corps de trois mois, colonne vertébrale brisée. Son regard triste ne m'en veut pas.

11 janvier

J'ai été réveillé par des rafales de pluie qui crépitaient sur les tuiles et contre les vitres, dans un petit jour glacé. Des gouttes aussi serrées et dures que des petits plombs de chasse. Il n'y avait plus de village. Les nuages étaient posés sur les prés, comme des montgolfières noires.

Pas un seul oiseau dans l'encre de Chine des arbustes. J'ai fait comme eux, je suis allé me refourrer dans mon buisson de rêves.

12 janvier

Dès que les premiers rayons de soleil allument l'écorce blanche du bouleau, quelques minutes avant neuf heures, des nuées d'oiseaux s'abattent sur l'herbe trempée du jardin.

Parfois ce sont des rouges-gorges, des mésanges bleues. Ce matin j'ai sous les yeux deux bandes rivales, une troupe de pinsons, une de verdiers. Ils ne s'affrontent pas, ne se mélangent pas. Ils tracent une frontière imaginaire dans la haie. Les mâles, que l'on distingue par un coloris beaucoup plus éclatant, veillent à ce que personne ne franchisse cette ligne invisible, au milieu des baies.

Pendant une demi-heure la haie brasille de rouges, de jaunes, de verts, de roux, et en quelques secondes, le ventre rond, ils repartent vers les épais buissons de la colline. La trajectoire de leur vol est semblable à l'ondulation des fils téléphoniques entre les poteaux de bois. Ils volent en feston.

Les pies prennent alors possession du territoire, terrasses d'oliviers, haies de cognassiers, vieilles vignes, murets. Tout leur appartient. Elles entament leurs longs discours monotones et hargneux. Ce sont les seules à faire autant de politique, à s'accrocher avec arrogance au pouvoir. Elles assènent leurs leçons de morale et saoulent tout le monde, alors que la rosée étincelle partout. Elles s'abattent, font trois bonds et inspirent la crainte. Nous faisons de la politique pour être aimés, entourés. Elles en font pour semer la peur. Elles n'aiment que le vide. Elles règnent dans leurs costumes noirs, par petits sauts rageurs. Et tout le monde file doux, même les gros chats râpés qui sortent des collines, avec des yeux sauvages et des prudences de loup.

13 janvier

Aujourd'hui le mistral est si fort, si rugissant; il n'y a pas trace d'un nuage, d'un seul oiseau, d'un chien. Le ciel est partout. Même la terre est bleue. Quand le mistral souffle, impérieux, vous pouvez vous cacher n'importe où, il vous trouvera.

Je vais décrocher ma plus grosse veste, un bonnet et sortir. Quand je veux voir un miracle, je prends n'importe quel chemin derrière la maison d'Isabelle. Même si l'on me disait que je vais vivre mille ans, j'aurais encore peur de mourir.

De ne plus voir jamais cette beauté. Ici, la beauté est partout.

Chaque jour je mets mes chaussures de marche dans le garage et je pars. Je marche dans la lumière, je regarde la lumière, j'avale la lumière, je traverse la lumière. Ma vue a commencé à baisser. Il reste autour de moi toute cette clarté, si blonde en ces après-midi d'hiver. J'avance vers la lumière dans la poussière, la boue, l'herbe de tous les chemins. L'un d'eux me conduira au royaume des ombres. Tant que je marche... Je connais chaque pierre des collines, les troncs pourris qui barrent les sentiers, les sonores éboulis, les combes glissantes de mousse. Je fais un pas, je suis ébloui. Je marche, j'ouvre les yeux, les bras, la bouche. Je vis. Chacun de mes muscles vit, chaque centimètre carré de ma peau. Je sens battre le sang dans mes épaules, mes cuisses, mes reins, il laboure mon ventre. J'avale toute cette beauté, elle illumine mon corps jusqu'à la pointe éblouie de chacun de mes nerfs.

22 janvier

Neuf jours que je n'ai pas écrit un mot...

Quand j'ai tenu ce cahier rouge et dense dans mes mains, ce 1er janvier, sous un cerisier glacé, en une seconde je me suis dit: «Je ne peux pas l'abandonner au fond d'un tiroir, laisser pâlir un si beau cahier dans la nuit d'un tiroir. Je l'ouvrirai chaque jour et ferai entrer sur ces pages du silence et des oiseaux, j'y noterai quelques-uns de mes rêves, de mes cauchemars, j'évoquerai peut-être les fesses si douces et chaudes d'Isabelle contre mon ventre, la nuit, quand il gèle à pierre fendre derrière les volets. Je parlerai des gens qui passent sur la route au-dessus de la maison et qui n'ont pas de visage, trois silhouettes qui glissent dans la brume. »

Il n'y a pas trois semaines que j'ai commencé ce journal de nuages et d'oiseaux et soudain, en quelques secondes, j'ai senti que tout pouvait s'écrouler, mes rêves, le silence, la brume, mes après-midi dorés sur le dos des collines, toutes ces routes qui partent de la vallée et s'en vont à travers les forêts vers des fontaines qui chantent encore, on ne sait pourquoi, seules dans la solitude de quelque hameau ruiné, enseveli depuis près d'un siècle sous des tumulus de ronces, de lierre et de sureau, parfois crevés par la flèche d'or d'un clocher qui cherche la lumière.

La simple sonnerie de mon petit téléphone rouge et j'ai senti que tout ce silence pouvait s'effondrer... Ce lumineux silence posé comme un globe de verre sur ma vie, sur le bourdonnement si intime des mots, sur ce cahier.

J'ai ouvert mon vieux Samsung qui fait sourire ma fille. Depuis deux ans elle me dit : « Jette cette antiquité, papa, fais comme tout le monde, achète-toi un iPhone. »

Sans doute n'aurais-je jamais dû faire ce petit

geste, à cette seconde, soulever l'écran de ce vieux téléphone. Voilà, je l'ai fait et ce simple geste va peut-être changer le cours paisible de ce journal et celui de ma vie.

— Oui ?

— C'est Kader.

— …

— Kader… L'atelier d'écriture aux Baumettes, bâtiment D… Kader… Derka… Le mec qui voulait pas écrire. Je suis venu pendant trois ans, tous les lundis, j'ai pas écrit un mot mais je me régalais. Les seules années où j'ai appris quelque chose.

La voix était feutrée, lointaine. Elle n'avait pas changé.

— Tu m'appelles de la prison ?

— Non, je viens de m'arracher…

— Tu es où ?

— Entre Aix et Marseille, sur l'autoroute. J'ai besoin de toi, urgent.

— Tu fais du stop ?

J'ai reconnu son rire, clair, violent, sincère.

— Non, j'ai ce qu'il faut.

— Tu as besoin de quoi ?

— Te voir, me planquer, disparaître.

Comment oublier Kader, ce rire, cette bonne humeur, sa franchise, ses étonnements, la flamme ardente de ses yeux si noirs. Ses dents que l'on voyait si souvent. Trois ans sans écrire un mot mais le plus présent de tous, le plus vivant. Un morceau de soleil tombé dans les ténèbres de la prison. Un morceau d'enfance.

Kader n'était pas ce que l'on appelle une pointure, un gros poisson, dans l'univers très secret du grand banditisme, du crime organisé, ni parrain ni caïd. Respecté pourtant par ces parrains et ces caïds, les boss et tous leurs lieutenants, leurs tueurs et hommes de paille, la cohorte des psychopathes qui gravitent autour du pouvoir, de l'argent.

Un simple braqueur Kader, un solitaire, un homme prêt à tout qui s'était évadé en hélicoptère du bâtiment A des Baumettes en 1992 et avait attaqué la centrale d'Arles, dix ans plus tard, pour faire sortir son cousin Djamel, condamné à perpétuité. Kader avait arrosé à la kalach les miradors de la centrale, pendant qu'un complice lançait des échelles par-dessus le mur d'enceinte. Il y avait eu deux morts, dont le complice, et il fallait être passablement cinglé pour attaquer à deux une telle forteresse.

Depuis il tournait dans tous les quartiers d'isolement de toutes les prisons les plus sécurisées de France. Comment avait-il pu s'évader de ces cellules à doubles portes, de ces couloirs aux grilles successives et monumentales, de ces cours de promenade individuelles, sous le regard intemporel des miradors ? Lui, un homme si craint, si surveillé ?

— Comment tu as eu ce numéro ?

— Le message sur ton fixe. Ne crains rien, j'ai appelé d'une cabine.

— Tu peux monter à Manosque ?

— Je peux y être dans vingt minutes.

J'ai réfléchi un instant.

— Demande à la Barbotine, sur la place de la mairie, petit salon de thé tenu par deux copines. Tu aimes le thé ? Le jazz ?

— Non, j'aime les copines !

Et de nouveau son rire a fait trembler le petit Samsung rouge.

— Disons, une demi-heure… Je ne suis pas tout à fait à Manosque, je ne suis pas encore douché et je ne pilote pas un Rafale.

— Elles sont jolies les copines ?

— Sympas et sexy !

— Je suis là dans trois minutes !

J'allais revoir cet homme étonnant, intrépide et sauvage, qui avait un jour disparu de notre atelier d'écriture et que l'on avait transféré dans un fourgon vers une destination que nul ne connaissait.

Durant les années qui avaient suivi, parfois nous parvenaient de ses nouvelles par un détenu qui arrivait de telle ou telle prison où on l'avait croisé, toujours dans le couloir de ces quartiers d'isolement où règnent un silence et une immobilité qui ressemblent à la folie. Quelqu'un l'avait aperçu, enchaîné au cours d'un énième transfert, ou en train de tourner dans une cage de ciment.

J'étais partagé entre cette amitié que ces lundis après-midi avaient esquissée dans ce vieux bâtiment des Baumettes, au-dessus de l'ancien quartier des condamnés à mort, peuplé de chats

sauvages et d'âmes damnées, et la précieuse solitude dont j'ai besoin, pour atteindre chaque jour
la paix et cette petite musique unique et immor-
telle que je perçois lorsque j'ouvre le matin mon
cahier, dans une cuisine ou une chambre d'hôtel, pour dessiner à l'encre bleue quelque chose
qui va au-delà de la vie, aussi insaisissable et lumineux qu'un rêve. Quelque chose qui n'a pas de
nom et qui me protège. J'ai besoin de voir des
choses qui n'existent pas.

Dans ce long silence peuplé de songes, l'irruption fracassante de Kader était une joie et un
danger. J'avais mis tant d'années à construire
patiemment mes cités intérieures de mots. Ces
mots que je trouve dans les collines et le soir,
dans le regard paisible et vert d'Isabelle.

Il était attablé à la terrasse de la Barbotine,
déserte sous un soleil pâle et glacé de janvier. Il
s'est levé et nous nous sommes embrassés.

— On ne serait pas mieux dedans, au chaud?

— Trop de monde, j'ai besoin de te parler.
Je suis entré pour voir si tu étais là, j'ai eu l'impression que tout le monde me reconnaissait. Je
crois que je ne sais même plus tenir une tasse.
Je suis ressorti tout de suite. J'ai besoin de voir
la lumière, la vie, je viens de passer dix ans dans
un caveau.

Il portait un jean noir, une parka noire, des
gants de motard étaient posés sur le guéridon, à
côté d'un café. Le casque était par terre.

— Tu as trouvé une moto?

— 750 Suzuki GSX, un fauve!

— Tu n'as pas perdu la main?

— J'en rêvais la nuit… Chaque nuit j'enfourchais des bolides et j'ouvrais le monde en deux. Dès qu'elle a été entre mes cuisses, elle a été à moi. Cinq minutes après j'étais à deux cent quarante. Ils ont déclenché le plan Épervier, je crois que ça s'appelle autrement à présent… Barrages et patrouilles partout, ils ont tout quadrillé, tout verrouillé. Du bleu partout! J'étais déjà passé. Ils m'ont rattrapé deux fois, j'étais jeune, c'est terminé.

Gisou est sortie et j'ai commandé un café, Kader un second.

— Tu ne sais plus tenir une tasse et tu roules à deux cent quarante?

— C'est les gens qui me font peur, pas les motos. Je me demande si je rêve encore des gens…

— Pourquoi m'avoir appelé, moi, Kader? Tu connais du monde, tu n'as que des amis.

— Je t'ai écouté, je t'ai observé pendant trois ans, René, tu m'as appris des choses qui m'ont aidé, là où j'étais. J'ai souvent repensé aux livres dont tu parlais, aux histoires que tu nous racontais. Je n'ai jamais vraiment quitté nos petites réunions du lundi. Un cercle d'amis s'était formé autour de toi que personne ne pouvait comprendre. Une petite société secrète qui inquiétait les surveillants et intriguait toute la détention… D'où je viens, il n'y a que des tordus, des pervers. Tout le monde balance tout le monde aujourd'hui. J'ai confiance en toi. Tu vis dans ton monde, l'argent ne t'intéresse pas. Tout de suite j'ai pensé à toi, sans réfléchir.

— C'est une responsabilité… J'ai une vie tranquille…

— Je sais, je te demande beaucoup. Tu n'es pas obligé d'accepter, mais à cette minute, avec des flics et des gendarmes partout pour un simple fugitif, je ne vois personne d'autre… Ma famille, mes proches, tout le monde est sur écoute à l'heure qu'il est, leurs maisons perquisitionnées. Je ne peux même pas approcher de Gardanne où j'ai grandi. Tout Marseille est surveillé. Ils pensent que je suis armé.

— Tu étais dans quelle prison ?

— Tarbes, quartier d'isolement.

— Et tu es arrivé à filer ?

— Rien n'a été prémédité, préparé. Ça s'est fait comme ça, en quelques heures. On a tout improvisé. Un détenu avait bricolé un calibre avec du papier, du carton, de la mie de pain, du lait… Un artiste ! Une fois passé au cirage, il était presque vrai. C'est celui qui le tenait dans la main qui devait être vrai. Les surveillants connaissent mon passé, ils pensent que je suis prêt à tout, ils me respectent et me craignent. Peu de gens attaquent une prison. Je leur fais peur… Les copains m'ont fait passer le calibre. Ils savaient que dans ma main, il prendrait tout son poids meurtrier. Le dimanche matin il y a moins de surveillants, aucune activité. La prison est beaucoup plus calme. Quand le gamelleur m'a apporté le café, un peu avant neuf heures, j'ai chopé le maton à travers la grille et je lui ai collé le calibre sur la tempe. Avec un autre à ma place, il n'aurait peut-être pas ouvert. Il a ouvert tout de suite. Même le gamelleur a eu peur, il est monté se planquer à l'étage. Nous sommes allés au bout du couloir et je lui ai fait signe de frapper à la petite fenêtre en bois. Je me suis accroupi, le calibre braqué sur ses couilles. J'avais son pantalon devant les yeux, il tremblait. L'autre surveillant a ouvert, jeté un œil, tout était normal. Il a déverrouillé la porte. Je les ai enfermés tous les deux dans ma cellule et j'ai libéré les mecs du couloir. Ils étaient six… Le calibre en papier nous a ouvert les autres portes. Je savais qu'il en restait sept. Les surveillants ne voyaient que mes yeux. J'y ai mis le plus de mort et de haine possible. Chacun d'eux savait à cet instant que je serais implacable. Même s'ils avaient imaginé que le calibre pouvait être en papier, ils auraient ouvert quand même… On a un peu bataillé pour ouvrir la dernière porte, la plus lourde, on trouvait pas la clé. On les a toutes essayées. On a cru que c'était cuit. Brusquement on a entendu : « Clac, clac. » On était dehors, dans la rue, une rue du dimanche, lumineuse, calme, déserte. On est partis en courant, droit devant nous, et chacun a essayé de sauver sa peau… La plupart ont été rattrapés dans l'heure qui a suivi. Voilà, moi je bois le café avec toi, je n'ai aucun projet. Je ne retournerai jamais là-bas.

Je l'ai écouté sans l'interrompre. Les mots sortaient de son corps comme il venait de les vivre, propulsés par une extraordinaire tension, sous le poids d'un silence qui avait duré des années. Il avait parlé d'un trait, sans respirer. J'étais étonné du calme de ses mains, de ses jambes, de ses épaules et de sa bouche. Seuls ses yeux étaient dévorés par la fièvre, comme s'il n'y avait eu dans ce corps si calme que les yeux de vivants. Un regard hanté par ces années de cachot, de solitude, de ténèbres. Ses yeux flambaient dans un visage mort. Ce regard tout le monde allait le voir, en être frappé, saisi. Je lui ai dit :

— Tout à l'heure, va dans la pharmacie qui clignote, de l'autre côté de la place, et achète-toi des lunettes de repos, avec une monture verte, rouge ou d'écaille, une monture qui claque. Ça te donnera un petit air intello. On ne se méfie pas des intellos, on pense qu'ils sont dans leurs rêves. Tout le monde regardera le rouge de tes lunettes, personne ne verra ton regard. Tu as un regard sauvage, Kader, un regard qui fait peur. Sauf quand tu ris. J'imagine que dans les semaines qui viennent, tu ne vas pas rire tous les jours… Tu as de l'argent ?

— Pour l'instant j'ai ce qu'il faut.

— Tu as besoin de quoi ?

— Me planquer, c'est tout. Si tu connais une

chambre, un petit cabanon paumé dans la colline, un trou pour disparaître le temps que ça se tasse. Une cavale ça s'improvise pas. L'argent je le prendrai où il est. J'ai besoin de quelques jours.

Depuis que je l'avais embrassé quelques instants plus tôt, je savais que je ne pourrais faire autrement que de lui prêter le petit appartement que je n'habite plus depuis que je suis allé m'installer chez Isabelle, de l'autre côté de la vallée. J'y viens une ou deux fois par semaine, pour prendre mon courrier, arroser les plantes vertes, lire quelques pages dans le soleil du salon. Il ne resterait pas là éternellement… J'aime cet appartement, c'est là que j'ai élevé ma fille, nous y avons vécu, tous les deux, de merveilleuses années, des années de tendresse. Je n'ai rien touché dans sa chambre, ni son petit bureau à tiroirs, où dorment les secrets d'une enfance, ni ses peluches qui l'attendent patiemment, assises sur son lit.

— Je vais te passer les clés de mon appart, Kader, en ce moment je dors chez Isabelle.

— Celle dont tu nous parlais tous les lundis, la maîtresse d'école?

— L'institutrice. Maintenant on dit «professeur des écoles». Je suis toujours avec elle et elle est de plus en plus jolie.

— C'est ce que j'aurais dû rencontrer, avant de faire toutes mes conneries, une institutrice qui m'apprenne des trucs et que j'aie envie de regarder.

— Je ne te montrerai pas la mienne, tu serais capable de me la piquer, malin et vicieux comme tu es.

Son rire nous a fait du bien à tous les deux. Je suis allé régler les cafés et nous sommes montés chez moi, juste au-dessus, au quatrième étage de ce vieil immeuble de Manosque.

De la fenêtre je lui ai montré la terrasse où nous étions attablés, une minute plus tôt, les toits de la ville brûlés par les étés torrides, le gel et la fiente des nuées de pigeons qui s'abattent sur les tuiles et les trois clochers. Le plateau de Valensole, au-delà du lit de la Durance où traînent jusqu'à midi, autour des peupliers, de clairs lambeaux de brume.

— Je pense que tu as de quoi tenir une bonne quinzaine de jours. Le placard et le congélateur sont presque pleins, riz, pâtes, café, viande, sauces… Si tu aimes un peu cuisiner, tu n'auras plus qu'à descendre acheter ton pain frais, quelques fruits, quelques légumes… Jette un coup d'œil dans ma penderie, tu trouveras des vestes, des manteaux. Tu n'es pas beaucoup plus grand que moi… Casse ce côté voyou, noir. Avec tes lunettes rouges, personne ne te remarquera. Dans la rue prends un air inspiré, regarde les oiseaux, pas les gens.

— Et si quelqu'un me demande quelque chose, dans le couloir ?

— Personne ne te demandera rien. Il y a deux toubibs et une infirmière dans la cage d'escalier, ça va et ça vient toute la journée. Évite de sortir la nuit, dès que les commerçants tirent leurs rideaux, Manosque est un désert et les patrouilles commencent à tourner. Lis ou regarde la télé… Ta Suzuki tu l'as mise où ?

— Au milieu d'un paquet de motos, derrière une église.

— Ils doivent chercher autant la moto que toi. Tu l'as prise où ?

— À Tarbes, dix minutes après l'évasion, un mec grimpait dessus. J'avais encore dans la main le calibre en papier. Il m'a filé les clés, le casque, et il a commencé à retirer son blouson. J'étais déjà au bout de la rue. Je me suis arrêté chez une connaissance qui a une casse à l'entrée de Marseille. On a changé les plaques.

— Tu as des papiers ? Un faux permis ?

— Il va falloir que j'en trouve. J'ai jamais passé aucun permis.

— Tu faisais comment quand tu étais libre, lorsque les flics t'arrêtaient ?

— Je me suis jamais arrêté. J'ai jamais été libre.

Plus je l'écoutais, plus je prenais conscience de l'histoire de dingue dans laquelle je venais de poser un pied, de la folie sans limites où il était en train de m'entraîner. Pourtant je lui ai dit :

— J'ai un petit box dans la ruelle derrière, à peine plus profond qu'un placard. J'y empile des cartons de livres depuis des années, en faisant un peu de place, tu y fourreras ta bécane. C'est au numéro 3. La porte a la couleur des murs. N'abîme pas mes livres.

Je lui ai tendu mon trousseau.

— Toutes les clés sont dessus. Je ne vais pas t'expliquer comment on ouvre une porte… Si tu t'enterres un peu ici on va vite t'oublier. Ils ont plutôt la tête au terrorisme en ce moment… Ne touche pas le téléphone, surtout pour appeler tes amis, les prisons sont pleines de gens qui téléphonent. Si le téléphone n'existait pas, elles seraient presque vides. Je passerai tous les deux ou trois jours, j'ai un double. Si tu as un problème, appelle-moi sur le numéro que tu as utilisé tout à l'heure. Ne fais aucun autre numéro, c'est comme si tu appelais la police. Quand ça sonne ne décroche pas.

Nous avons bu un nouveau café, que j'ai fait passer dans ma cafetière encore plus antique que mon Samsung, et j'ai filé.

Isabelle remontait le petit sentier bordé d'amandiers lorsque je me suis garé devant sa maison. Elle revenait de l'école.

— Je pose mon cartable, je change de chaussures et on va un peu marcher. J'ai besoin de respirer, ils étaient tous là aujourd'hui… Je te prie de croire que vingt-huit enfants, ça bouge et ça piaille.

Nous sommes partis vers la crête sous un soleil glacé.

— Tu as écrit? m'a-t-elle demandé.

— Non, j'ai dû faire un saut à Manosque. Un ancien détenu de l'atelier d'écriture m'a appelé, il vient de sortir, quelqu'un de bien malgré son passé. Il cherche du boulot, comme tous ceux qui sortent. Je lui ai prêté mon appart pour quelques jours.

— Nous devions y aller ce week-end.

— On ira le suivant, ou le mois prochain, nous ne sommes pas à la rue.

— Qu'est-ce qu'il sait faire ton ancien élève ?

— Tout et rien, comme tous ceux qui ont tourné pendant plus de dix ans dans neuf mètres carrés et qui ont oublié le peu qu'ils avaient appris. Ce sera dur, personne n'en veut, les patrons se méfient.

— Et tu lui as quand même prêté l'appart ?

— Tout le monde n'a pas la chance de rencontrer une institutrice belle comme le jour… Je ne sais plus qui a dit : « L'amour est une main douce qui écarte lentement le destin »…

Elle s'est rapprochée de moi et a glissé sa main dans la mienne. Autour de nous, les cades ou les genévriers embaumaient. Je n'ai jamais su les distinguer les uns des autres. Pourtant Isabelle m'a montré dix fois les deux fines lignes blanches dessinées sur les aiguilles de l'un de ces deux arbustes. Je ne sais toujours pas lequel. Elle m'a dit :

— Si ton ami voyou a du charme, je lui présenterai une jolie institutrice. Il y en a deux à l'école qui pourraient changer son destin. L'une est divorcée, l'autre ne voit plus les enfants dans la cour, elle ne nous parle que d'amour en gloussant. Un beau bandit, tu sais, c'est toujours excitant, on ne rigole pas tous les jours dans une cour de récréation.

— Laisse-le un peu respirer, ça fait plus de dix ans qu'il n'a pas dit bonjour à une femme qui ne soit pas là pour le surveiller, en pantalon bleu. Et encore… pour surveiller des énergumènes comme lui on choisit plutôt des hommes costauds, nombreux et expérimentés.

Je ne pouvais pas lui dire que Kader s'était évadé des Baumettes en hélicoptère, avait braqué une trentaine de banques et fourgons blindés, qu'il avait attaqué une prison et venait de coller un calibre sur la tempe de plusieurs gardiens, et qu'à cet instant où nous grimpions, main dans la main, vers de grands pins que doraient les derniers rayons, tout ce que le pays comptait de flics et de gendarmes était à ses trousses. Un tel danger était bel et bien installé dans l'appartement où nous passions de paisibles week-ends. Je n'en menais pas large. Un danger qu'avaient forgé, heure après heure, jour après nuit, pendant plus de vingt ans, ces forteresses de béton, d'acier et de violence que l'on aperçoit de loin, à travers la vitre d'un train, après les dernières traces des villes. Un trait gris au milieu des champs.

J'aurais aimé tenir mon bol de café, dans le silence de la cuisine, en guettant les troupes de pinsons qui giclent des forêts et envahissent les haies sous leurs capuchons gris, observer les premiers couples de verdiers fouettés de jaune, voir s'allumer plus haut la cime des grands chênes blancs.

Dès qu'Isabelle est venue m'offrir le bout de ses lèvres, avant de filer à l'école dans son manteau taupe, j'ai mis mes chaussures de marche, j'ai fermé la maison et j'ai pris le chemin des collines.

J'avais besoin de marcher, de réfléchir après une nuit bien agitée. Plus agitée par le petit mensonge que j'avais fait à Isabelle que par l'irruption brutale de Kader dans notre vie.

J'ai marché une bonne partie de la journée, sous un soleil tiède qui a attendu midi pour montrer le bout de son nez. J'ai traversé quelques hameaux qui sentaient le fumier de mouton et le feu de broussaille. J'ai contourné des fermes qui semblaient dormir sous des bosquets d'érables. Quand le chemin longeait des crêtes, je voyais étinceler la meringue des Alpes, derrière Moustiers-Sainte-Marie. Je replongeais dans des combes remplies de silence et de brume. Les coups de fusil sont plus ténus depuis quelques jours, plus rares. On ne chasse aux extrémités du jour que les grives et les bécasses. Le passage.

J'ai marché longtemps dans une forêt de petits chênes à peine plus hauts que moi, avant de déboucher dans des champs de vieilles lavandes abandonnées. On peut marcher ici pendant des heures sans croiser âme qui vive.

J'ai mangé dans un bistrot qui regardait la place d'un village. Tout le monde prenait le plat du jour : civet de chevreuil, purée de marrons groseilles.

Quelques hommes, vers deux heures, sont venus faire cliqueter des boules sous d'immenses platanes criblés de corbeaux immobiles.

Je suis reparti sur des chemins où je n'étais pas seul. Je marchais avec une ombre. Nous avons tous la sensation de marcher avec une ombre sans doute. J'ai traversé des périodes, dans ma vie, où cette ombre s'éloignait. Je me suis toujours débrouillé pour cheminer à côté d'une ombre qui n'était pas la mienne. Une ombre qui m'inquiète et dont j'ai besoin. Comme si je n'avais jamais pu me contenter des joies paisibles que m'offre cette vie : marcher, écrire, dormir, aimer une femme, entrer l'été dans l'eau fraîche d'une rivière, m'étendre nu sur des galets blancs de lumière, manger le plat du jour dans le premier bistrot d'un village, demander une paire de boules et me joindre à ces hommes qui ne semblent pas avoir d'ombre, même au soleil, ils s'interpellent, rient, balaient le sol du plat de la main, font trois pas et lèvent les bras au ciel. Reprendre la route et regarder tout ce qui bouge, détale, embaume, étincelle, pousse, s'envole, rampe, frémit, hurle, s'émerveille, s'enfuit, surgit, se décompose, renaît.

J'avais besoin de comprendre pourquoi j'avais accepté, pourquoi j'avais presque devancé l'appel au secours de Kader. Il était si simple de ne pas parler de mon appartement, de gagner du temps, d'éluder. Quel était ce besoin maladif d'inventer une ombre, de la créer ? Je ne suis jamais parvenu à laisser couler ma vie, tel le cours paisible et naturel d'une rivière.

Dès que je peux être en paix, heureux, et c'est bien ce que je vis depuis quelque temps, aux côtés d'Isabelle, j'ai la sensation désagréable, étrange, qu'il me manque cette ombre…

J'ai marché toute la journée et cette ombre ne m'a pas quitté d'un pas. Le soleil était tiède et si pâle qu'il n'inventait aucune ombre.

26 janvier

J'ai dit à Kader de ne pas s'approcher du téléphone, de ne m'appeler qu'en cas d'urgence. Il reste silencieux. Ce silence me convenait les premiers jours. Il m'inquiète… J'ai si mal dormi que ce matin j'ai filé à Manosque. Était-il encore là ?

Je n'ai pas utilisé mes clés, j'ai frappé discrètement à la porte. J'ai attendu une bonne minute en tendant l'oreille et j'ai frappé un peu plus fort. J'ai vu s'éteindre le petit œil rond du judas.

Il venait d'y coller le sien, après s'en être approché à pas de loup. J'ai entendu claquer le verrou. Il a ouvert et j'ai éclaté de rire. Il était planté devant moi, avec un jean qu'il avait déniché dans ma penderie et qui lui arrivait au-dessus des chevilles. Il portait des lunettes à monture rouge épaisse.

Je suis entré, je l'ai observé encore des pieds à la tête et, après avoir refermé, je lui ai dit :

— On ne peut pas imaginer un instant que tu t'es évadé de prison. Avec ces lunettes rouges et mes fringues, on dirait que tu t'es échappé d'un asile psychiatrique. Tu ressembles à Jerry Lewis.

Il a éclaté de rire à son tour. Il a lancé sa tête en arrière, sa lèvre supérieure s'est retroussée sur ses puissantes dents blanches et il a laissé exploser son rire de cheval.

— Ces lunettes te vont comme un tablier à une vache !

Il s'est figé, bouche ouverte.

— C'est toi qui m'as dit de les acheter… D'ailleurs ma vue a baissé, je m'en aperçois depuis que je suis sorti. En prison, pendant des années, on regarde des murs, il y a toujours un mur à quelques mètres. Le paysage, l'horizon, ça n'existe pas… Même pas le feuillage d'un arbre, même pas une fleur. Je me suis rendu compte, chez toi, ici, que je ne regardais que tes murs, ce qu'il y a derrière la fenêtre, c'est trop grand pour moi, ça n'existe pas. J'ai beau regarder, j'ai l'impression que je ne vois rien. Alors, ton tablier et ta vache…

— Tu es parfait! On n'arrête pas une vache, surtout si elle a la vue basse.

Il a relancé sa tête en arrière et j'ai revu la parfaite blancheur de ses dents. La nourriture des prisons n'avait ni terni ni abîmé ce bel émail.

— Je suis heureux que tu n'aies pas perdu ton rire, le long de ces interminables couloirs. Ce rire, c'est toi.

— Derka, c'est pas simplement Kader en verlan, ça veut dire « rire » en arabe, ou « celui qui rit », je ne sais plus.

— Tant que tu ris, il ne t'arrivera rien, on ne peut pas soupçonner un type qui rit comme toi, avec des lunettes rouges. Tu ressembles à tout sauf à un tueur ou à un évadé.

Je lui ai demandé si tout était calme, s'il avait déniché tout ce dont il avait besoin.

— Je tourne un peu en rond mais j'ai l'habitude. Je préfère tourner dans cinquante mètres carrés au-dessus des toits et des arbres que dans neuf, entre une porte et cinq barreaux. Et puis j'ai repéré ta petite voisine, derrière, sur la cour, le soir elle traverse à poil son appartement, elle se regarde dans la glace… Elle se tord dans tous les sens pour voir ses fesses. Putain! La première fois que je l'ai vue, j'ai cru que j'avais mangé du shit! Elle a un cul!

— Je crois qu'elle le sait qu'on la regarde. Elle joue un peu avec les fenêtres d'en face, ça l'amuse, sinon elle tirerait les rideaux. C'est moi qui l'ai aidée à les installer. Elle n'a même pas un tournevis.

Il en était suffoqué.

— J'ai éteint pour qu'elle ne me voie pas...

— La prochaine fois n'éteins pas, tu verras qu'elle se tournera quand même dans tous les sens pour voir ou pour montrer ses fesses...

— Putain... C'est là que je vois que ça a changé dehors. Ça me fout la trouille... Tu connais un toubib ?

— Tu es malade ?

— Non, il me faudrait du Sildenafil. C'est sur ordonnance.

— Du quoi ?

— Du Sildenafil. C'est un truc qui te fait bander pendant trois heures.

— Pourquoi veux-tu bander pendant trois heures ?

— On sait jamais... Admettons qu'une bombe comme elle m'invite chez elle pour réparer un truc...

— Tu as à peine quarante ans, Kader... Ne me dis pas que...

— J'en ai passé la moitié dedans, ça a tellement évolué. Je ne sais plus comment on fait.

— Comme avant. Comment tu as fait sur la moto ?

— La meuf, de l'autre côté de la cour, c'est autre chose qu'une moto... Tu la braques pas avec un calibre en papier. Il faut assurer...

— Tu lui racontes le dixième de ta vie, elle

s'accroche au lustre. Il faut être un peu voyou avec les femmes. Elles préfèrent les braqueurs aux employés de banque. Tu n'as pas eu la vie d'un employé, il me semble ?

— C'est pire, j'ai eu une vie de moine !

— Tu as eu le temps de réfléchir, tu t'es posé des tas de questions, tu as appris des choses que la plupart des gens ignorent. Pendant trois ans tu es venu à l'atelier d'écriture, tout t'intéressait. Tu n'as pas beaucoup écrit, c'est vrai, tu venais, tu écoutais, tu parlais. Je crois que tu n'as jamais raté une seule séance.

— Qu'est-ce qu'on apprend le nez collé contre un mur ?… La vie du mur. On devient le mur. On pense avec un cerveau de mur… Mon cousin Djamel, oui, il s'est servi des murs pour devenir quelqu'un. En prison il a tout lu. Il a lu pendant vingt ans. On l'appelle «le professeur». On a grandi ensemble, on n'était rien. Il a lu tous les livres qui lui tombaient sous la main, dans toutes les taules où on le trimbalait, même dans les cours de promenade il lisait. Il lisait dans les geôles du palais en attendant le juge. Même avec des menottes, je l'ai vu lire. C'est pour libérer mon cousin Djamel que j'ai attaqué la centrale d'Arles. Il avait pris perpète. Il m'a parlé de Platon, de Descartes, de Socrate, de Freud, de Nich. J'y comprends rien, je l'écoute parce que tout ce qu'il dit est beau. C'est très profond. Quand on était dehors, on allait chasser ensemble à la kalach ou au fusil à pompe. Moi j'adore chasser, lui c'est la lecture. En prison, toutes les psychologues qui l'ont approché sont tombées amoureuses de lui. Il parle tellement bien… Il les a toutes baisées au parloir… Tu l'as déjà croisé, aux Baumettes, mon cousin Djamel ?

— Jamais. On m'a souvent parlé de lui. Je sais que c'est un personnage.

— Il est petit, laid, il n'a pas beaucoup de cheveux, mais qu'est-ce qu'il est intelligent… Très intelligent et très courageux ! Il lit et il fait des sports de combat. Vingt-quatre heures sur vingt-quatre. Il ne fait que ça ! Il ne recule devant rien. Je ne l'ai jamais vu reculer une seule fois, pourtant il m'arrive là… (Kader a plaqué sa main sous son menton.) Il me fascine. Il est petit et laid et toutes les femmes succombent. Lui n'a pas besoin de Sildenafil, il commence à parler et aucune ne résiste. J'ai essayé de lire mais au bout de trois pages je pense à autre chose. Je préfère aller tirer sur les lapins dans la colline ou foncer à moto avec une belle petite nana qui s'agrippe à moi… Quand tu leur fais peur, elles font encore mieux l'amour et j'ai l'impression que c'est plus facile. Tu crois que tu pourras m'avoir du Sildenafil ?

— Fais comme Djamel, mets-toi enfin à la lecture. Ma chambre croule sous les livres. Avec les belles dents que tu as, si ma petite voisine te voit avec un livre dans les mains…

— Je préférerais que tu me ramènes des petits cachets bleus. Djamel et toi vous avez mis une vie pour avoir confiance en vous, pour parler comme vous le faites. Ces petits cachets ça aide la relaxation des vaisseaux sanguins du pénis et ça me relaxerait tout entier. Si tu savais la pression que j'ai sur les épaules, rien qu'à l'idée de retourner là-bas… Je préfère me faire allumer sur un barrage plutôt que repartir pour dix ans dans un trou.

— À ta place je filerais quelque temps à l'étranger, au Vietnam, à Cuba, ou tout simplement à Tanger.

— C'est ce que je vais faire. Je suis allé au Monoprix faire des photos d'identité. Aujourd'hui ou demain je vais descendre à Marseille pour dégoter un passeport.

— Tu sais où aller?

— Le type qui a changé les plaques de la Suzuki, il vend tout, armes, coke, faux papiers… Je lui ai fait gagner pas mal de thune, il me fera quelque chose de solide.

— C'est encore chaud, Kader… Descendre à Marseille c'est une folie, tu as fait la une de tous les journaux.

— Je n'ai pas le choix. Il faut que je bouge vite.

— Donne-moi l'adresse, je fais l'aller-retour.

— Je peux pas te demander ça.

— Je t'aime bien, Kader, mais plus vite tu auras disparu, plus vite je pourrai respirer. Si on te trouve ici, chez moi, je ne ressortirai pas à cinq heures du soir des Baumettes, avec mon badge d'intervenant et mon petit cartable. On tournera tous les deux sous le mirador.

— Tu connais un peu les quartiers nord?

— J'ai travaillé pendant dix ans à Saint-Antoine. J'étais infirmier, avant d'écrire des romans, en psychiatrie. On allait chercher des malades dans toutes les cités qui regardent la mer et les îles; des alcooliques qui violaient leurs filles et démolissaient leurs femmes, des paranoïaques hallucinés de peur, un maniaco-dépressif qui jouait du saxo depuis trois jours et trois nuits en plein milieu du croisement de Saint-Louis. Je suis allé chercher des fous dans le moindre recoin de ce quartier. L'un d'eux était accroché à une fenêtre du vingtième étage d'une tour, un autre vivait dans la tombe de sa mère, dans le petit cimetière de Saint-Gabriel. Deux fois par jour je traversais tous ces quartiers pour aller et revenir de l'hôpital, sur ma vieille 125. À l'époque moi non plus je n'avais aucun permis.

— Tu vois la gare de Saint-Louis-les-Aygalades?

— Comme je te vois.

— La casse est juste à côté. Gare-toi dans la petite rue derrière, c'est pas la peine qu'ils voient le numéro de ta bagnole. Tu demandes Mario et tu lui dis que tu viens de ma part. Tu lui donnes les photos. Je pense que d'ici une semaine il aura le passeport. Tu ne dis rien d'autre, tu donnes les photos et basta.

— Il faut que je le paie d'avance?

— Rien à payer, c'est lui qui m'en doit. Il ne te demandera rien. Il a plus peur de moi que du diable. Il sera trop heureux que je file le plus loin possible.

— Tu es sûr que c'est un ami?

— D'où je viens, ça n'existe pas les amis, c'est un monde de requins et de crotales. J'ai mes frères, mes sœurs, mon cousin Djamel et un ou deux types, des gens honnêtes, des travailleurs. Les voyous au grand cœur c'est au cinéma, tous ceux que j'ai connus passent des années dans la même cellule, partagent les fantasmes, les projets d'évasion, des milliers de plats de pâtes, bâtissent des châteaux en Espagne, vident dans leurs rêves tous les centres forts et les bijouteries de la place Vendôme, et en sortant ils s'égorgent pour trois billets de cent euros. Je ne peux pas m'approcher de ma famille sans la mettre en danger, elle l'est sûrement déjà, et ceux que tu appelles «les voyous» sont plus dangereux que les flics. C'est bien Victor Hugo qui a écrit: «Depuis que je connais les chiens, je regrette les loups»? C'est Djamel qui m'a dit un jour cette phrase. Je ne l'ai jamais oubliée. Ils ont tous la rage, René, les chiens et les loups. Tu donnes les photos et tu te tires, sans dire ton nom, ni d'où tu viens. Mario tuerait père et mère pour du fric, d'ailleurs je crois que c'est déjà fait.

Je suis arrivé à Saint-Louis vers deux heures de l'après-midi. La chaleur était anormale pour cette fin janvier, tout le monde était en tee-shirt sur les trottoirs, les terrasses des cafés étaient aussi pleines et bruyantes qu'en été.

Ce quartier a été un morceau pittoresque de Marseille, l'un des cent villages qui dessinent la ville, semblable à celui où j'ai grandi. Il y a une quarantaine d'années, les façades de ces maisons à un ou deux étages étaient blondes, aujourd'hui elles sont grises, polluées, taguées ; des tranchées jamais rebouchées éventrent les rues, les poubelles renversées vomissent leurs ordures, des enfants de huit ans au regard de loup tournent en meutes dans les ruelles. Partout on voit des entrepôts dévastés, des usines aux fenêtres explosées, des grues qui rouillent au milieu d'un terrain vague couvert de ciment. Les jeunes ont oublié l'idée de chercher du boulot, ils étirent leurs journées autour de trois guéridons sortis sur le trottoir, devant d'anciennes épiceries, merceries, drogueries, qui sont devenues de minables bistrots, où le café à un euro vous arrache la bouche. Les moins dégourdis passent leurs après-midi à somnoler devant une tasse, les autres passent vingt fois devant eux, dans la dernière Mercedes ou Audi. Ils vendent la came par kilos dans les grandes tours blanches qui dominent des collèges qui ressemblent à des prisons.

J'ai contourné la casse et me suis garé dans la petite impasse, comme me l'avait conseillé Kader. Je suis entré à pied dans une immense cité de ferraille. Sur ma droite s'élevait une falaise de jantes qui étincelaient au soleil, à gauche une dizaine de conteneurs s'alignaient, bourrés de moteurs, puis un terrain vague s'ouvrait où attendaient, serrées les unes contre les autres, plus d'un millier de voitures ou ce qu'il en restait.

Sur chaque carrosserie on avait écrit : « Dépôt » à la peinture bleue, suivi d'un numéro. Un Clark se déplaçait, tel un insecte rouge, avec ses deux antennes de fer il rangeait des épaves.

Une vingtaine d'hommes s'affairaient, de loin en loin, dans des bleus noirs de graisse. Certains, accroupis, démontaient des roues, d'autres arrimaient un moteur à des chaînes, le soulevaient et le transportaient, suspendu à une potence, vers un conteneur.

Un grand fracas m'a fait sursauter. Dans un recoin que je n'avais pas vu, derrière une palissade, un immense grappin d'acier venait de jeter une carcasse dans la presse hydraulique, on entendait péter les barres du châssis et les essieux. Cinq minutes plus tard, le grappin a tiré de la presse un cube d'acier compressé et l'a déposé sur une montagne d'autres cubes verts, rouges ou gris.

Entre ces épaves la terre était sombre de cambouis et j'évitais des flaques d'eau irisées de graisse.

J'ai aperçu une espèce de bureau dans ce chaos de métal, un mobile home vitré, planté dans une terre encore plus noire qu'ailleurs, gorgée d'huile. Des pots d'échappement dressés formaient tout autour comme une haie de rouille.

— Vous cherchez quelque chose ?

À nouveau j'ai sursauté. Un géant se tenait juste derrière moi, en tricot de peau zébré d'empreintes de graisse. Il devait peser cent cinquante kilos, ses énormes bras étaient couverts de poils roux et de tatouages bleus.

— Je vous regarde tourner depuis un moment... Vous avez besoin d'une pièce ?

— Non, je cherche Mario.

Ses sourcils roux se sont abaissés, dissimulant la moitié de ses yeux.

— Vous le connaissez ?

— Non.

— Et vous le cherchez pourquoi Mario, alors ? (Agressif, il a fait un pas vers moi.) Vous rentrez ici, vous fouinez partout... On passe au bureau d'abord ! Alors qu'est-ce que vous voulez ?

— Je viens de la part de Kader.

— Quel Kader ! ?

— Il est passé ici il y a une semaine, sur une Suzuki... Il venait de Tarbes.

Ce tas de muscles et de graisse a changé de couleur. Son visage s'est effondré.

— Je vois pas..., a-t-il bredouillé.

— Je ne suis pas flic, je suis un ami de Kader. (J'ai tiré de ma poche les quatre photos et les lui ai tendues.) Il a besoin d'un passeport pour disparaître.

Mario a scruté les photos.

— Il a pas de lunettes Kader...

— Pour le passeport il vaut mieux qu'il en ait.

Il a jeté un coup d'œil inquiet autour de nous.

— Il fallait le dire, si c'est pour Kader... Venez dans mon bureau.

Il a murmuré ça presque avec douceur. Il avait perdu cinquante kilos d'arrogance.

Le mobile home était aussi sale que toute cette cité de fer, aussi sale que Mario. Il y avait autant d'huile noire sur la paperasse que sur le sol. Il a tiré la porte.

— Il a pas pu trouver une bonne planque Kader?... C'est bouillant.

— J'imagine... On se voit dans un bar de temps en temps.

— Ici, à Marseille?

— Dans un autre quartier.

— Vous le connaissez d'où?

— Des Baumettes.

— Ah... (Il m'a observé des pieds à la tête.) Vous avez pas... Enfin, on croirait jamais qu'un type qui a votre style soit passé par là... Vous me direz, on voit de tout là-bas. Tapie y est bien allé et l'autre élu de Toulon aussi... J'ai oublié son nom... Il aurait voulu se débarrasser de Yann Piat.

Il a encore regardé longuement les photos.

— C'est un truc que je fais plus, ça, les passe-

ports, trop risqué… Pour Kader c'est différent,
c'est un ami… Mardi prochain ça irait?

— Je repasserai mardi. Vers quelle heure?

— Comme maintenant, ou en fin de matinée.

— Ça lui coûtera combien?

— Vous rigolez! C'est pour Kader… Quand
on peut rendre service aux amis…

Je ne lui ai pas serré la main, elle était trop
sale et j'avais eu la sensation que le seul nom de
Kader avait épaissi l'odeur de sa transpiration. En
quittant l'impasse, j'ai jeté un coup d'œil dans
mon rétroviseur. Personne ne m'avait suivi. J'ai
gardé dans le nez, jusqu'à Manosque, l'odeur du
fer et de la sueur.

28 janvier

J'ai trouvé Kader dans la cuisine, il avait déniché une bouteille de vin blanc, dans le placard,
et s'apprêtait à se faire un risotto aux artichauts.
Il était heureux de me voir et m'a servi un café.
Il était chez lui.

— J'ai fait un saut à Marseille, hier après-midi,
j'ai vu Mario. Sale gueule… Enfin, tout va bien,
mardi ton passeport sera prêt.

— Il t'a posé des questions?

— J'ai senti qu'il aurait aimé savoir où tu te
planques.

— Et alors?

— Kader, il a l'air aussi franc qu'un reptile.

— C'est un reptile ! Mais j'ai besoin de lui et il me craint.

— Bon, oublie ce gros tas et ton risotto, je t'invite au resto, je meurs de faim.

— C'est prudent ?

— Dans mes vêtements et avec ces lunettes, tu fais plus germanopratin que les intellos qui tournent toute l'année entre le cinquième et le sixième arrondissement de Paris. Corrige un peu ton accent et tu seras invité à *La Grande Librairie.*

Mon jean lui arrivait toujours au-dessus de la cheville et mon petit veston, trop étroit et trop court, le faisait ressembler à Rimbaud filant le soir au bord des routes. Dans cette tenue, aucun motard ne lui aurait donné sa moto, aucun surveillant n'aurait ouvert la moindre porte. On ne prend pas les poètes au sérieux.

— Qu'est-ce que c'est la grande librairie ?

— Peu importe, c'est moi qui t'invite à manger des lasagnes ou une pizza, juste à côté, chez un ami qui fait tout au feu de bois.

Nous nous sommes installés devant le four. Le patron nous a offert l'apéro et nous avons choisi des cannellonis que le pizzaïolo, en tricot blanc, était sur le point d'enfourner ; ça embaumait la tomate, le fromage fondu et l'huile d'olive chaude.

Kader était ravi d'être là devant un feu de bois. Il s'est penché vers moi et s'est mis à me parler de sa famille, de sa jeunesse.

— On était onze enfants à la maison, à Bouc-

Bel-Air puis à Gardanne, on n'avait pas un rond. Je n'ai jamais mis les pieds dans un restaurant avant d'être un homme. J'étais fasciné par les gangsters, les grands braqueurs qu'on voyait dans les journaux, à la télé : le Belge, Tony Cossu, Mesrine, Jacky Sordi. Ils osaient tout ! Ils vivaient dans les plus grands hôtels.

— Tu as commencé à voler à quel âge ?

Il a jeté un coup d'œil aux tables voisines, s'est encore rapproché de moi et a baissé la voix.

— Seize ans… Des roues de voiture, des jantes, des motos. À dix-neuf j'ai fait mon premier braquage, un Intermarché, ensuite c'est allé très vite, on a enchaîné une trentaine d'agences bancaires, surtout du Crédit Agricole. On sciait les barreaux de derrière, on entrait la nuit et on attendait les banquiers. Quand ils arrivaient le matin, on se faisait ouvrir les coffres. On a fait quelques bijouteries à Aix, à Avignon, puis on est passés aux fourgons. On était en guerre contre les bleus, c'était comme un jeu, le chat et la souris. Il n'y avait pas de terrorisme et toutes ces conneries à l'époque. On prenait le fric le matin, on le dépensait le soir. Ça n'existait pas tous ces barbus, ces islamistes…

— Tu en as rencontré beaucoup en prison ?

— L'islam est devenu la grande religion en prison, surtout dans le Sud, la majorité des détenus sont des types comme moi, aucun niveau scolaire, familles pauvres, disloquées. Ils ont grandi dans des orphelinats et des familles d'accueil.

Des jeunes perdus qui n'ont pas besoin des barbus pour se radicaliser, c'est la rue qui les radicalise, la misère, la prison. La prison c'est rien d'autre qu'une cité avec des barreaux. En prison ils sont chez eux. Ils ne connaissent que le béton, le goudron, la violence.

— Ton père était harki ?

— Pas du tout. Mais les fils de harkis se radicalisent encore plus, tout le monde les a rejetés, la France, l'Algérie… Le djihad les accueille. Ils croient brusquement à cette vérité qu'on leur fait miroiter, ils n'ont connu que la tristesse et l'humiliation. Pour la première fois ils existent, ils ont une famille, une fierté. On leur explique que tout l'Occident les a humiliés, ceux qui ont l'argent, le pouvoir, la parole. Eux n'ont connu que la merde des ghettos. Les djihadistes n'ont même pas à les embrigader, le travail est déjà tout fait, ils n'ont qu'à mettre le nom d'un dieu sur de la haine. C'est pas les salafistes qu'il faut combattre, René, c'est la pauvreté, c'est l'injustice.

— Et toi, tu as eu leur enfance, leur misère… Tu as été tenté ?

— Par le terrorisme ?… Tu plaisantes, c'est une bande de cinglés ! Moi je suis comme la plupart des mecs qui passent leur vie derrière les barreaux, ce qui nous intéresse c'est la belle vie, les filles, le pognon. La religion on s'en fout ! En vingt ans j'ai tout vu dans ces ratières, assassinats, trafics, rackets, règlements de comptes, délation, extorsions, chantage, trahisons… Des salafistes j'en ai croisé trois, je les ai même pas vus… On vous fait croire que les prisons en sont pleines. Elles sont pleines de misère, pleines de haine. C'est pas une guerre entre la religion et la démocratie, c'est une guerre entre des riches et des pauvres, un point c'est tout!

— Quelqu'un a écrit une phrase sur un mur, à cinquante mètres de chez moi : «Je ne porte ni kippa, ni tchador, ni crucifix mais juste une certaine mélancolie de l'époque où tout le monde s'en foutait.» Je trouve ça très beau. Durant toute mon enfance, Marseille ressemblait à cette phrase. On ne parlait pas des quartiers nord, de l'islam, tu étais marseillais, que tu sois du Roucas, d'Endoume ou de la Castellane.

— Aujourd'hui il y a deux villes et une guerre qui ne s'arrêtera plus, des riches et des pauvres.

Kader n'avait pas de diplômes, pas de niveau scolaire, mais il avait su observer durant toutes ces années et sa réflexion, un peu sommaire, valait mieux que les savantes analyses qui s'étalaient dans tous les journaux, écrites par des types qui n'avaient jamais franchi la première grille, après la cour d'honneur. J'avais la légère satisfaction de croire que ses trois années de présence dans mon atelier d'écriture n'y étaient pas pour rien. Il savait de quoi il parlait. Il était la chair de la prison, son odeur, sa souffrance. Il était un morceau incandescent de cette férocité, de cette haine, de ce désespoir.

Nous sommes allés prendre le café au soleil,

à la terrasse de la Barbotine. Le printemps s'était glissé dans la ville par les étroites ruelles qui regardent la vallée de la Durance et les coteaux de vignes exposés au couchant. Tout le monde était en tee-shirt comme à Marseille. Les lycéennes jouaient déjà avec la pointe dansante de leurs jeunes poitrines, leur rire agaçant et des jeans si moulants que leurs fesses étaient plus excitantes que si elles étaient nues.

Kader avait tout oublié, quartiers d'isolement, transferts, salafistes… Derrière la monture rouge de ses lunettes, ses yeux tournaient. Je lui ai dit :

— Reste encore un peu au soleil, là tu es bien, je passerai mardi avec le truc. Ouvre grands tes yeux, ce que tu as autour de toi, tu ne le trouveras dans aucune banque, c'est dans chaque rue du moindre recoin de la terre.

31 janvier

Les jours commencent à grandir, les arbres, les oiseaux et les renards se concentrent pour vivre. Les premières fleurs blanches de la roquette éclairent les prairies, sous les arbres les ombres sont bleues de myosotis. Il a neigé sur les trois amandiers de la colline, au-dessus de la maison.

Moi je regarde Isabelle râper des zestes d'orange, casser et battre des œufs, mettre à gonfler des abricots et des pruneaux dans du thé infusé, peser du sucre ou de la farine, beurrer un moule… Je la regarde découper, ce dimanche matin, des images et des mots pour ses vingt-huit enfants, poser ses ciseaux pour badigeonner, au paprika et à l'huile d'olive, un filet mignon de porc, enfourner un tagine ou un gâteau à l'orange.

Je la regarde sortir un peu plus tard de la salle de bains, toute nue et tiède, une serviette nouée autour de la tête, comme un vizir, me laisser apercevoir ses seins magnifiques, puis ses fesses, avant de disparaître dans sa chambre.

Vers dix heures je la regarde, de la cuisine, partir au marché. Le soleil est si bas que son ombre s'étire jusqu'à l'entrée du chemin. Les beaux jours vont bientôt pousser la porte des jardins, les longues roses trémières se dresseront au coin des rues, curieuses, elles hausseront leurs têtes par-dessus le mur des presbytères pour voir passer les amoureux.

Les argelàs ont fleuri en une nuit, la colline est jaune. La semaine dernière les sentiers bordés de romarin étaient bleus.

Maintenant ma vie est ici, dans la douceur paisible d'Isabelle, au bord de la colline où elle a grandi, dans l'odeur des cades, du buis, des genévriers, sous le vent qui brasse le vert argenté des oliviers et le squelette blanchi des bouleaux en hiver.

Aurais-je dû écarter la main égarée de Kader ? Refuser d'entendre l'appel si sombre de sa solitude ? Poursuivre ma vie, en ouvrant chaque jour ce cahier sur de belles pages de silence ? Oublier les démons qui rôdent encore autour de moi, pour dessiner à l'encre bleue la lumière des saisons qui me restent à vivre ?

17 février

En un jour et une nuit, j'ai vécu plus de choses qu'en dix ans; plus d'émotions, de surprises, d'angoisse et de terreurs qu'en dix années.

Un seul jour, le 2 février, et mon cahier a explosé. Ma vie a explosé. La paisible lumière de notre vie, avec Isabelle, a explosé. Quelques heures dévastatrices qui ont tout emporté, le calme, les certitudes, la force de la tendresse. Heures terribles !

J'ai ouvert à nouveau ce cahier ce matin, pour dissiper la noirceur de ces heures et tenter de comprendre... Dès que j'écris quelques mots, un peu de calme revient, un peu de sagesse, d'équilibre. Écarter la tempête de la pointe de mon stylo. Me raccrocher à la blancheur des pages, aux fines lignes violettes, si rassurantes, si immuables.

Comprendre ou me persuader que j'invente un cauchemar, comme je l'ai fait souvent depuis que j'invente des histoires. J'en inventais déjà dans notre quartier, à Marseille, pour éblouir et faire peur aux minots de la rue, durant les interminables journées d'été, dans l'ombre malade des derniers mûriers, vidés par des colonies de vers.

On invente des personnages de roman, on les tire du néant, on leur donne une allure, un caractère, un nom, quelques défauts. On se rend compte soudain qu'ils sont là, près de nous, en chair et en os. Plus authentiques que les gens que nous croisons sur le palier, trois fois par jour. Ils nous parlent, nous regardent dans les yeux, nous entraînent vers leur obscurité profonde. Les mots ont créé l'horreur, l'horreur nous apporte des mots, des mots nouveaux, des mots glacés.

Ai-je été trop loyal avec Kader ? Trop généreux, naïf ? Trop sensible et fragile face à la dureté de sa vie ? Suis-je trop romanesque ? Trop impulsif ? Imprudent ?

Tout ce qui s'est passé en si peu de temps… Ce tumulte… Comment en suis-je arrivé là ?

Cette journée avait pourtant bien commencé. Ce terrible mardi 2 février. Je suis descendu à Marseille, chercher les faux papiers de Kader. Il faisait presque trop doux pour un début de février. Plus je m'approchais de la mer, plus les arbustes se couvraient de fleurs. Lorsque je suis sorti de ma voiture, derrière la cité de ferraille, le printemps s'est posé sur tout mon corps. L'odeur de la mer montait jusque-là, dans ces collines mitées par les grandes surfaces, les bretelles d'autoroute et les petits pavillons recouverts de tuiles plates et de poussière.

Mario était dans son mobile home, toujours

aussi sale, laid et gras. J'ai eu la sensation qu'il m'attendait. Une odeur aigre de sueur et de graisse l'entourait. Il portait le même tricot de peau que quelques jours plus tôt, un peu plus sombre sous les aisselles et autour du cou. Même en hiver cet homme transpirait et il semblait détester l'eau autant que le savon.

— On vient juste de me l'apporter.

Il était assis derrière son bureau, de ses énormes doigts recouverts de poils roux, il tournait les pages d'un passeport :

— Kader sera content, c'est du bon travail… Ça me fait plaisir pour lui, il le mérite. C'est quelqu'un de droit Kader.

J'ai failli lui dire : «Arrêtez de tripoter ce passeport avec vos grosses pattes sales, vous allez le rendre illisible et suspect», mais il me le tendait.

— Il a une idée d'où il veut aller ?

— Je ne lui pose pas ce genre de questions. Pour l'instant il baise toutes les femmes qui passent. Il essaie de rattraper le temps perdu.

Sa bouche s'est entrouverte sur des dents dévastées, aussi noires que ses doigts. Il hochait la tête, admiratif.

— Ce Kader… Quel phénomène !… Quel énergumène !…

Je l'ai laissé à ses visions pornographiques. J'ai glissé le passeport dans ma poche et j'ai filé. Des hommes s'affairaient encore un peu partout, perchés sur des Clark, ou le corps enfoui sous un capot.

Une fois installé dans ma voiture, j'ai jeté un coup d'œil sur le document neuf. Il était au nom de Veronesi Enzo, un mètre soixante-dix-huit, yeux marron, né le 2 avril 1970 à Nice. Avec ses lunettes à épaisse monture rouge, on aurait du mal à reconnaître Kader.

Une heure plus tard je le lui tendais, dans la belle lumière de mon petit salon. Il l'a scruté sous toutes ses coutures.

— Qu'est-ce qu'il t'a refilé ce gros tas?... C'est un nom de mafieux, un blaze de camorriste, ça. Enzo Veronesi! Tu me vois présenter ça dans un aéroport? Autant tendre les poignets pour qu'ils me passent les pinces.

— C'est mieux que rien... Des Italiens il y en a partout, surtout à Nice, tous ne sont pas des tueurs à gages de la Camorra.

— Je le sens pas son truc... Il aurait pas pu écrire Pierre Faure, Richard André ou... Patrick Martin. Des types qu'on croise partout, qui ressemblent à tout le monde. Tu lis leur nom et tu ne regardes même pas la photo. Enzo Veronesi... Pourquoi pas Lucky Luciano ou Al Capone? Il ne t'a pas donné une cible en prime, pour que je me l'accroche dans le dos?

J'ai éclaté de rire.

— J'avais complètement oublié de te donner la cible. Je vais t'aider à l'accrocher.

Je l'ai entendu pousser son grand rire de cheval. Il s'est calmé et, tout en plaçant un filtre dans ma cafetière, il m'a dit :

— Je vais filer ce soir. Je t'ai déjà bien encombré ici, je ne te laisse même pas faire le café. Tu dois avoir hâte de te retrouver un peu dans tes livres, tes habitudes. Ton institutrice doit se poser des questions.

— Elle s'en pose beaucoup, mais elle n'en pose jamais.

— Sans toi, je me demande où je serais allé. J'étais comme un fou sur les routes. À part ma famille personne n'avait fait ce que tu viens de faire. Je prie pour pouvoir te rendre ça un jour, au centuple j'espère.

Je n'ai rien dit. J'étais soulagé, pas uniquement pour mes livres et ma cafetière, il retirait de ma poitrine un poids énorme. Si on le trouvait ici, j'étais son complice, on nous embarquait tous les deux. Le plus grand service qu'il pouvait me rendre était de disparaître.

Il s'est raclé dix fois la gorge, a tourné autant de fois autour de la table de la cuisine, avant de bafouiller :

— Tu vas dire que j'abuse... Rends-moi un ultime service... Trouve-moi du Sildenafil. J'ai une telle pression, ça me relaxera la tête, le sexe et le reste. Je ne sais pas où je vais aller mais il y aura des femmes. Je compte bien en profiter. J'ai l'impression que si je me retrouvais à poil devant une femme, mon corps tomberait en poussière.

— Au point où nous en sommes, je téléphone à ma belle institutrice et je te la prête pour quelques mois.

La tête rejetée en arrière, il me montrait ses belles dents, solides et blanches.

— Pendant que tu bois ton café, je fais un saut chez mon copain Marc, le toubib d'à côté, il devrait pouvoir me faire une ordonnance, entre deux clients. Savoir que tu vas filer avec une érection de quatre heures, je trouve ça rassurant. Tout le monde regardera ton sexe, personne ne verra ta tête de tueur, Enzo Veronesi!

J'ai entrouvert la porte de la salle d'attente. Trois ou quatre personnes lisaient des magazines, aucune n'a levé la tête. Je n'ai pas dérangé leur silence, j'ai attendu dans le couloir.

Dix minutes plus tard Marc est sorti de son cabinet. Dès qu'il m'a aperçu son visage s'est éclairé. Tout est rond chez Marc, le ventre, la tête, les yeux, les mots. Un homme aussi cultivé qu'affectueux.

— Toi, ici?… C'est rare!

— Rien de grave.

Il a jeté un œil dans la salle d'attente, a refermé et a posé son bras sur mon épaule.

— Je ne vais pas te faire faire la queue.

— Ça tombe bien.

— Quoi?

— Je viens pour la queue…

Il s'est tourné vers moi, incrédule.

— Ne me dis pas que tu as attrapé quelque chose…

Nous nous sommes installés tous les deux du même côté de son bureau, côté patient.

— Il me faudrait du Sildenafil, Marc.

Il s'est illuminé.

— Tu as la plus belle femme du monde et tu as des problèmes ?

— Sans doute parce qu'elle est la plus belle.

— Explique-moi ça.

Lorsque je croise Marc dans les rues, ce qui arrive presque chaque jour, il aime promener son énorme sacoche de cuir en toute saison, d'un client, l'autre, je crois qu'il s'ennuie dans son cabinet, il adore marcher, regarder les arbres, le ciel, les vitrines et les pigeons, tout l'intéresse, tout anime son visage d'enfant. Lorsque nous nous rencontrons donc, il penche sa tête de côté, soulève ses sourcils et sourit. Il pose sa sacoche à ses pieds, se dandine et nous causons, de tout, de rien, de la lumière, des chats, du dernier livre que nous avons lu. Je ne sais pas où il trouve le temps, il lit plus que moi, est au courant de tout, c'est un puits de culture et il se débrouille pour être le meilleur médecin du quartier, un peu à l'ancienne, il va voir la maladie dans son nid.

J'ai donc essayé de lui expliquer pourquoi il me fallait du Sildenafil, sans évoquer la présence, ni l'anxiété de Kader.

— Je ne sais pas si tu as lu ce roman d'Aragon… Il raconte l'histoire d'un boxeur.

— Je ne vois pas... Ça a un rapport avec tes problèmes de panne?

Panne... Ce n'était pas encore le mot, mais en lui parlant je me rendais compte que je touchais l'âge qui nous rapproche des petites pilules bleues, le territoire inquiétant des premières défaillances.

— C'est un boxeur qui croise un jour une femme très belle. Il n'a jamais vu une femme aussi belle. Il en tombe éperdument amoureux. Elle vient le voir boxer. Pour elle, il gagne tous ses combats. Il ne voit qu'elle. Chaque coup qu'il donne est pour elle. Il boxe pour elle. Il devient champion du monde et il l'épouse. Il se dit alors : « Pour garder la femme la plus belle, il faut être l'homme le plus fort du monde. » Il est obsédé par cette idée. Comment l'éblouir toujours, ne pas la décevoir. Il s'arrache les tripes sur tous les rings et un jour il perd. Comment la plus belle femme du monde pourrait-elle être encore amoureuse d'un homme qui n'est plus le meilleur? Elle ne peut que le quitter pour l'autre, le nouveau champion. Il se suicide...

— Je n'avais jamais entendu cette histoire. Tu veux faire de la boxe?

— Non, nous sommes tous un peu ce boxeur. Nous avons tous peur de perdre la plus belle des femmes.

— Alors on prend du Sildenafil?...

— Chaque jour je me réveille en me demandant ce qu'Isabelle me trouve...

— Elle te trouve écrivain.

— Tu sais combien de romans sortent en France, chaque mois, Marc? Les lecteurs sont beaucoup plus rares que les écrivains.

— Mais aucun romancier ne parle des seins d'Isabelle comme toi.

— Je m'en mords les doigts, maintenant tout le monde y pense à ses seins. Un réalisateur m'a appelé, après avoir lu mon dernier roman, il voulait en faire un film. Il m'a demandé si Isabelle accepterait de jouer son propre rôle. Je ne l'ai jamais rappelé. Ce n'est pas mon roman qui l'intéresse, c'est la poitrine d'Isabelle.

Marc a éclaté de rire. Il est passé de l'autre côté du bureau.

— Je vais te faire une ordonnance... Si tu te mets à avoir peur des gens qui aiment tes romans... Attention, c'est un médicament, et comme tout médicament il peut entraîner des effets indésirables... Respiration sifflante, vertiges, gonflement des paupières, de la gorge... Et si ton érection persiste au-delà de quatre heures, oublie d'éblouir Isabelle, appelle-moi. Si tu te mets à vomir, file directement aux urgences.

— Tes petites pilules bleues, Marc, c'est pour faire l'amour ou pour tuer les gens?

Il m'a raccompagné, son bras sur mes épaules.

Je ne suis pas allé à la pharmacie de la place. Ils me voient passer six fois par jour, je ne voulais pas qu'ils se disent, à chaque passage: «Maintenant il bande mou. » Je suis allé à l'autre bout de la ville.

En grimpant mes quatre étages, la boîte de pilules dans la poche, je pensais à la respiration sifflante et au gonflement des paupières. J'étais à mille lieues de me douter du cataclysme qui allait se produire quelques secondes plus tard, dans cet appartement paisible où j'ai élevé ma fille, rêvé et caressé mon chat.

J'allais poser la main sur la poignée de ma porte lorsque j'ai entendu une voix d'homme, à l'intérieur… Kader n'était pas seul. J'ai tendu l'oreille… La voix n'était pas que grave, elle était menaçante. Ce n'était pas celle de Kader. La police ?…

J'ai traversé le palier, ouvert le petit fenestron, enjambé l'appui et me suis retrouvé sur ma terrasse. À pas de loup, je me suis approché de la porte-fenêtre de la cuisine. À l'intérieur, un homme me tournait le dos. C'est lui qui parlait, vite et fort. Il semblait donner des ordres à Kader dont le visage restait impassible. Ils avaient à peu près la même corpulence, l'homme tenait dans la main quelque chose que je ne voyais pas. Un policier ne serait jamais venu seul arrêter quelqu'un d'aussi dangereux que Kader…

Je me suis approché de la vitre. Kader a tourné les yeux vers moi. L'homme a dû apercevoir son regard, il s'est retourné. Je n'ai pas eu le temps de me reculer. Il y a eu un grand fracas, un bruit de vaisselle ou de vitres qui explosent.

Quand j'ai compris ce qu'il se passait, ils roulaient tous les deux par terre. Kader avait profité de cette seconde d'inattention pour bondir sur l'homme qui le menaçait.

Je suis entré dans la cuisine, du verre a crissé sous mes pieds. Kader m'a crié :

— Ramasse le calibre !

Je n'ai vu aucun calibre.

— Le calibre putain ! Passe-moi le flingue !

J'ai regardé sous la table, sous le vaisselier… Rien qui ressemble à une arme.

Ils continuaient, comme des fauves, à se battre sur le sol. Des chaises volaient, des étagères s'effondraient. Kader semblait avoir le dessus, il tentait de se stabiliser sur la poitrine de l'autre qui lançait furieusement ses jambes dans tous les sens.

— Chope ses jambes !… Les jambes !… Bloque-les !

Je me suis laissé tomber sur les cuisses de l'homme, les ai agrippées et serrées, le plus fort possible. Je n'avais pas le temps de réfléchir, pas le temps d'avoir peur, je faisais ce que Kader demandait.

Dans ma position, je ne pouvais voir la tête de l'homme. Le corps que nous tenions tentait de s'arquer, de se tourner tantôt à droite, tantôt à gauche. À travers le pantalon je sentais ses muscles se tendre, vibrer. J'entendais des râles, des grognements, des hoquets.

Kader patiemment assurait sa prise. Au bout d'un moment, j'ai compris qu'il l'étranglait. Toute la puissance de ses cuisses, de son ventre, de ses épaules, convergeait vers le cou de l'homme. Il m'a semblé que ça durait des heures.

Il n'y avait plus que des hoquets, puis un râle très long, un râle affreux. Je ne voyais rien, je serrais, je pesais, je me concentrais sur mon rôle d'étau.

Les muscles de l'homme se sont lentement détendus. Personne ne bougeait. Je ne savais pas si je devais me relever ou continuer à serrer. Les minutes passaient. Mes bras me faisaient mal. La douleur gagnait mes épaules, mon dos, incendiait mes reins. Une crampe mordait l'arrière de ma cuisse.

— Je crois que ça y est, a dit Kader du fond de sa gorge.

— Quoi?

— Je lui ai écrasé les artères. Je pense qu'il est mort.

— Comment ça, mort?

— Tu vois plusieurs façons d'être mort?

— Tu veux dire dans le coma?

— Pour l'éternité dans le coma.

— Tu es cinglé, Kader, tu ne l'as pas?…

— C'était lui ou moi, René, et toi avec, puisqu'il t'avait vu. On allait y passer tous les deux.

Nous nous sommes relevés. Mes jambes trem-

80

blaient soudain, mes mains aussi. Pour la première fois j'ai vu le visage de l'homme. Il était violacé, les yeux et une langue noire lui sortaient de la tête. En une seconde, j'ai été couvert de sueur de la tête aux pieds. Je réalisais ce que nous venions de faire… Les mains glacées de l'épouvante ont broyé mon ventre.

Brusquement il y avait un mort dans ma cuisine, dans cette cuisine où j'avais pris des milliers de repas avec ma fille, fait avec elle chaque soir, sous la lampe, des jeux, des devoirs, des découpages. Un homme était étendu sur le carrelage où elle avait joué, couchée par terre avec le chat. J'étais l'un des deux assassins. J'avais tenu cet homme, j'avais permis qu'on le tue. Cet homme gisait à mes pieds, une épaisse langue noire au milieu du visage.

— Qui est-ce ? ai-je bredouillé.

— Maldera… Il est venu ici pour me tuer. Il voulait aussi récupérer un truc qui a beaucoup de valeur.

— Comment il t'a trouvé ?

— Il t'a suivi depuis la casse de Mario, sans doute à moto… C'est ce porc de Mario qui l'a mis sur ma trace. Regarde…

Il venait de ramasser l'arme qui avait glissé entre le placard et le frigo :

— CZ 75, neuf millimètres, calibre tchèque. Très grande qualité… Tu n'as jamais senti que tu étais suivi ?

— Non… Enfin… Quand je suis entré en

bas, tout à l'heure en revenant de Marseille, un homme était sur mes talons, il s'est glissé dans le couloir. Je n'ai pas fait attention, il y a tellement de monde qui vient chez le docteur et l'infirmière. Ça pouvait être lui...

— C'était lui ! Tu me l'as amené et tu m'as sauvé la vie. Quand il t'a vu, il allait tirer.

J'étais au bord de l'étourdissement. Je vivais quelque chose qui n'avait rien à voir avec la réalité. Rien à voir avec ma vie, avec tout ce que j'avais vécu jusque-là. Un sentiment d'horreur envahissait la moindre parcelle de mon corps.

— Kader, dis-moi que c'est pas vrai ! Réveille-moi ! Je ne suis pas un assassin ! Je ne veux pas passer le reste de ma vie en prison. Putain, Kader !

— Calme-toi, René, tu es mon ami. Si tu m'écoutes, tu ne passeras pas une seule nuit en prison, pas une heure. Personne n'ira en prison... Cette nuit, on se débrouillera pour le sortir d'ici et on l'enterrera quelque part.

Je n'avais qu'une envie, vomir tripes et boyaux.

Kader était accroupi près de Maldera. Il fouillait chacune de ses poches, en sortait des clés, des papiers...

— Voilà avec quoi il t'a suivi, une Honda 900. Elle doit être garée près de ta voiture... (Il a un peu soulevé le corps et m'a tendu quelque chose.) Regarde ce qu'il avait dans son dos, un deuxième calibre, Beretta 92. Quand il se tordait par terre, il essayait de l'attraper... Il n'a pas pris de téléphone, pour ne pas être tracé. Tant mieux pour nous. Personne ne peut savoir qu'il est venu ici.

Je le regardais, abasourdi. Calmement il faisait l'inventaire, comme n'importe quel boutiquier. Il venait d'étrangler un homme et il était aussi placide qu'un commerçant qui compte ses boîtes de chaussures. Cela aurait dû me rassurer. J'avais affaire à un fou. Mes tremblements ont redoublé.

J'ai commencé à redresser les chaises, les étagères. J'ai balayé les centaines d'éclats de verres, d'assiettes, de saladiers qui avaient explosé jusqu'au moindre recoin. Avec mon balai je me débrouillais pour ne pas toucher ce corps étendu en travers de la cuisine. Je ne voulais pas le voir. Pas revoir cette énorme langue noire. Je remettais tout en place, comme si ce n'était qu'une question de désordre.

Je me suis rendu compte que Kader m'observait. Il s'était servi un café et le buvait tranquillement.

— Quand tu auras fini le ménage, on l'enroulera dans quelque chose. Tu as un vieux drap ?

Je suis allé chercher dans ma chambre un couvre-lit que je veux jeter depuis longtemps. Nous l'avons étalé par terre et Kader a fait rouler le corps plusieurs fois sur lui-même. Avec de la ficelle à rôti qu'il avait dénichée dans un tiroir du buffet, il a saucissonné cet horrible paquet. Il s'est relevé, m'a servi une tasse de café.

— Ça va te remonter. Tu tiens plus sur tes jambes. Je reconnais que c'est violent, surtout quand on a une vie d'écrivain. Je suis désolé, René, ça ne s'est pas du tout passé comme je le pensais. Je comptais le traquer, l'abattre et quitter le pays.

Je tremblais tellement que le café sortait de la tasse et me brûlait les mains.

J'ai un peu tourné la tête vers l'homme étalé. De ses yeux grands ouverts, il nous fixait. J'ai poussé un cri. Kader ne l'avait empaqueté que jusqu'au nez. Nous regardions tous les deux ces yeux à moitié sortis des orbites. Ensemble nous avons éclaté de rire.

Nous étions secoués par un rire irrépressible, un rire qui me secouait à la mesure de la peur qui était entrée au plus profond de mes entrailles. Rien ne pouvait arrêter ce rire fou, cette fulgurante décharge nerveuse. Nous étions pliés en deux, côte à côte, moi, en proie à un état de choc, lui, sidéré sans doute de me voir hurler de rire au-dessus d'un mort. Je me suis effondré sur une chaise.

Kader s'est assis en face de moi, plus étonné par mon rire que par ma peur. Il s'est penché vers moi :

— Respire fort… Expire… Respire encore… Plus fort… Vide-toi bien… Recommence… Ça va aller… Inspire, inspire…

Quand j'ai été un peu calmé, je lui ai demandé :
— Qui est-ce ?

Il a retrouvé toute sa gravité, son masque de pierre.

— La pourriture qui m'a fait faire treize ans d'isolement. Il savait que je le tuerais, dès que je sortirais. C'est pour ça qu'il est venu, pour ça et pour les bijoux. Il aurait dû me fumer dans la rue mais son avidité est plus grande que son intelligence. Il a attendu treize ans pour récupérer les bijoux.

— Les bijoux?

— Quelques jours après avoir attaqué la centrale d'Arles, j'ai braqué avec lui une bijouterie à Cannes. Il avait la réputation d'être solide. Je ne le connaissais pas, j'avais besoin d'un mec solide. J'ai fait une grave erreur... Ça nous a pris trois minutes. On était déguisés en vieillards, sur la Croisette. Vers onze heures du matin on a profité de l'arrivée d'une cliente pour franchir le sas de la bijouterie. À l'intérieur il y avait trois employés. Personne n'a bronché. On a rempli une mallette en cuir de bracelets en diamants, de pierres précieuses et de montres de luxe. On est repartis tranquillement avec deux millions et demi de bijoux. On a tout planqué dans un box, moto, flingues, bijoux... Dans la nuit j'ai eu un pressentiment, je ne le sentais pas ce type. J'ai récupéré la mallette et je suis allé la mettre ailleurs. Le lendemain les flics me sont tombés dessus. Cet enculé m'avait balancé pour garder les deux million et demi... Il est venu ici parce qu'il savait que j'allais le tuer, il voulait aussi récupérer la mallette qui dort depuis treize ans dans un trou. Il a dû en promettre une partie à

Mario, et l'autre porc t'a fait suivre. Voilà, tu sais tout.

— Tu es sûr que c'est lui qui t'a balancé ?

— Lui seul savait où je dormais cette nuit-là. Ils m'ont serré pour l'attaque de la centrale où il y avait eu deux morts, pas pour le braquage. Quand on reste treize ans seul, René, on a le temps de se repasser le film. Cette ordure qui est par terre, je l'ai étranglée chaque jour pendant treize ans. Je l'ai égorgée chaque jour pendant treize ans. Pendant treize ans, plusieurs fois par jour, je lui ai vidé un chargeur dans la tête. Si tu n'étais pas là, je crois que j'aurais encore la force de lui arracher le cœur et de le jeter aux chiens dans la rue... Tout à l'heure, en l'étranglant, je regardais ses yeux, il savait qu'il allait mourir, j'aurais voulu que ça dure treize ans. Voir la terreur lui sortir des yeux pendant treize ans. Pour toi c'est un traumatisme, René, pour moi c'est allé trop vite.

— Comment on va le sortir d'ici ?

— On va attendre la nuit et on le chargera dans ta bagnole. On n'a pas d'autres solutions.

J'ai pensé à Isabelle. Il fallait que je la prévienne si je ne rentrais pas, que je trouve quelque chose qui ne l'affole pas. Je savais que le mardi, elle sort à cinq heures, après le conseil des maîtres. Il n'était guère plus de trois heures.

— Je vais faire un saut à Vinon, Kader, laisser un mot à Isabelle. Je reviendrai avec la vieille Renault Express qui est dans un hangar, ce sera plus pratique pour rouler dans la colline. C'est un véhicule utilitaire, le père d'Isabelle s'en servait pour transporter des caisses de légumes ou ses chiens, quand il allait chasser.

— Je t'accompagne jusqu'à ta voiture, si je ne me suis pas trompé, sa moto ne doit pas être loin.

Kader l'a repérée tout de suite, derrière un platane. Une Honda rouge flambant neuve. Il a sifflé d'admiration entre ses dents :

— J'ai pris les clés, je vais m'en occuper tout de suite. En arrivant l'autre jour, je suis passé sur un grand canal, à l'entrée de la ville, j'ai vu qu'il allait se perdre au milieu des champs. Je vais la balancer et je reviendrai à pied, ça me fera du bien de bouger un peu. Je l'ai pas assez tué… Ça fait mal au cœur de balancer dans un canal un petit bijou pareil. Regarde, elle brille comme un rubis.

Il venait d'étrangler un homme et ça lui faisait mal au cœur de jeter une moto…

Le silence de la maison d'Isabelle, à cette heure de l'après-midi, l'odeur de pommes qui montait de la cave, le soleil qui inondait la cuisine, chaque objet à sa place, le calme de la campagne tout autour…

Comment avais-je pu m'éloigner de ce coin du monde qui ne m'avait apporté jusque-là qu'équilibre, douceur ? En quelques instants cette douceur m'enveloppait, glissait en moi, calmait mes muscles meurtris de peur. Pour la première fois, depuis des heures, mes membres ont un peu cessé de vibrer.

J'ai pris une feuille de papier dans l'imprimante et j'ai écrit :

> *Mon amour,*
> *Je me suis réveillé avec l'envie d'aller marcher dans la vallée d'Allos, peut-être grimper jusqu'au lac qui est si beau, sous un ciel d'hiver. Il a beaucoup plu ces derniers jours, je prends l'Express. Je dormirai sans doute dans notre petit refuge, celui que tu aimes tant. Glisse-toi sous l'édredon de plumes, je ne serai pas là pour réchauffer tes fesses si jolies. Je t'embrasse tendrement.*
>
> *René*

Il m'arrive assez souvent de partir marcher pendant deux jours, je dors dans des refuges de montagne, sous la tente l'été. Isabelle ne serait pas trop étonnée. Mais déçue de ne pas m'accompagner.

J'ai laissé le mot, bien en évidence, sur la table de la cuisine. Je m'en voulais d'inventer de tels mensonges. Il fallait à tout prix tenir Isabelle loin de cette angoisse, éviter que ce cauchemar emporte notre vie, ne pas éveiller chez elle le moindre soupçon. Ce serait difficile…

Je ne connais personne qui possède sa finesse, son intuition. Elle ne pose aucune question, rien ne lui échappe. Elle observe, écoute et ne juge personne. Sa beauté m'éblouit, son intelligence discrète m'étonne chaque jour.

Je ne pouvais réfléchir qu'aux minutes qui allaient suivre, à ce corps qu'il fallait enterrer, à la plus infime trace qu'il faudrait effacer chez moi. Que Kader disparaisse, qu'il parte le plus loin possible et que je puisse m'asseoir, chaque matin, dans cette cuisine, devant un bol de café, dans le parfum d'Isabelle qui flotte d'une pièce à l'autre.

J'ai enfilé mes chaussures de marche, une vieille veste fourrée, j'ai glissé dans ma poche les clés de l'Express et j'ai ouvert le hangar. J'ai entassé deux pioches, une pelle, un couteau-scie à l'arrière de la voiture. Au moment de mettre le contact, j'ai aperçu une pile de sacs de soufre couverts de poussière et de toiles d'araignée, dans un coin du hangar, entre une pyramide branlante de cagettes et un empilement de vieilles tuiles. Le père d'Isabelle les utilisait, il y a bien longtemps, pour sulfater ses vignes.

J'ai transporté l'un de ces sacs dans l'Express. Le soufre couvrirait les odeurs de décomposition. Il y en avait cinquante kilos. J'ai pensé à cet homme, ce vieux paysan qui m'observait sans doute de là-haut, il devait être étonné de l'usage que je faisais de son soufre. Il avait été le meilleur chasseur du village et pour cette raison, bizarrement, il m'a semblé qu'il ne m'en voudrait pas. Il connaissait les dures lois de la nature et de la vie. Tous ses chiens étaient enterrés derrière le hangar, il les avait peut-être abattus lui-même, pour ne pas les voir souffrir.

Nous avons attendu trois heures du matin, côte à côte sur le divan du salon. Nous regardions la télé en buvant café sur café. Je suis incapable de me souvenir de la moindre image, le cadavre qui attendait dans la cuisine, enroulé dans le couvre-lit, incendiait toute ma tête.

Je n'arrivais pas à y croire vraiment. J'ai tellement tué de gens dans mes romans que celui-là n'était peut-être que l'un d'entre eux. Un cadavre qui glisse du stylo au fin fond d'une ville que l'on vient d'inventer.

Kader zappait, sélectionnait, commentait, comme si cette nuit avait été semblable à n'importe quelle autre. Quelle vie fallait-il qu'il ait eue pour demeurer impassible dans ce moment qui était, sans nul doute, le plus terrible et le plus sombre de la mienne.

Je plaquais mes mains l'une contre l'autre, les coinçais entre mes genoux pour les empêcher de trembler.

La ville dormait quand je suis allé chercher l'Express. Le froid mordait les rues. Je n'ai croisé personne. Je me suis garé tout contre la porte de l'immeuble.

Kader m'a dit :

— Aide-moi à le charger sur mon épaule. On ne va pas allumer la minuterie de l'escalier, tu m'éclaires avec une lampe électrique. Chaque fois qu'on passe devant une porte tu mets ton doigt sur le judas, on sait jamais, quelqu'un qui nous entende marcher dans le couloir, à cette heure de la nuit.

Je l'ai aidé à le faire entrer dans la fourgonnette. Nous avons filé vers les collines.

— Tu sais où on va ?

— Je ne pense qu'à ça, depuis cet après-midi… J'ai fait défiler dans ma tête tous les coins que je connais. Il faut surtout une bonne épaisseur de terre.

Après trois kilomètres, j'ai quitté la route, j'ai roulé un bon moment sur une piste, au milieu des arbres. Dans mes phares la terre mouillée était rouge. J'ai coupé le moteur au bout d'un chemin qui s'arrêtait, on ne sait pourquoi, au bord d'une étroite clairière. Un petit vallon, pas plus large que la main, rempli de feuilles et de branches mortes que le vent accumulait là depuis toujours.

Nous étions sous des pins et des chênes blancs. J'emprunte souvent ce chemin en octobre, pour aller chercher des sanguins dans une pinède qui dévale les versants nord.

Avec la pelle j'ai repoussé cet amas de feuilles trempées et pourries et nous nous sommes mis au boulot, dans la lumière des phares. J'ai commencé à piocher. Kader enlevait la terre. Il avait beaucoup plu, le travail avançait vite. Toutes les cinq minutes, nous nous immobilisions pour tendre l'oreille. Je n'aurais jamais imaginé que la nuit soit aussi silencieuse. Contrairement à la journée, où toujours quelque chose détale, appelle, siffle, craque. Chaque brindille dormait dans un silence absolu.

Je suis allé éteindre les phares afin de ne pas être repéré et d'économiser la batterie. Nos yeux se sont vite habitués à la faible clarté de la lune.

Nous avons creusé pendant près de deux heures. Quand mes épaules brûlaient, je tendais la pioche à Kader et saisissais la pelle. Parfois j'utilisais le couteau-scie pour venir à bout d'une racine, celles des chênes étaient beaucoup plus coriaces que celles des pins.

À cette heure le thermomètre avait dû descendre bien en dessous de zéro. Nous étions en nage.

Ce travail acharné me faisait du bien. J'avais presque oublié la raison de notre présence dans cette forêt. Je pensais à mes muscles, à la profondeur du trou. J'éprouvais les mêmes sensations que lorsque je creuse chez Isabelle pour planter un érable, un olivier, un tilleul, ou pour dégager une vieille souche. Je n'étais pas un assassin, j'étais un jardinier consciencieux.

À travers le feuillage, nous avons vu se dessiner l'écharpe verte de l'aube. Des chiens se sont interpellés, au loin dans la vallée. Sans un mot nous sommes allés chercher Maldera et nous l'avons balancé dans le trou.

Tant bien que mal, Kader a tiraillé le paquet dans tous les sens afin qu'il trouve sa place. J'ai ouvert le sac et répandu sur le corps les cinquante kilos de soufre. J'avais tellement horreur de ce que nous faisions qu'en quelques minutes le trou a été comblé. J'ai dispersé un peu partout le surplus de terre et recouvert la tombe de branchages et de feuilles. Même le plus averti des chasseurs lirait dans ce léger désordre le passage fouisseur d'une famille de sangliers.

Je ramassais les outils quand Kader a dit avec une haine très calme :

— Les vers vont finir le travail, Maldera, ils adorent la pourriture.

Nous nous sommes éloignés le plus vite possible de ce lieu maudit que j'allais maintenant tenter d'ensevelir dans ma mémoire.

— Je comptais partir hier soir, m'a dit Kader, mais avec ce qui s'est passé… J'ai brûlé ses papiers et mon passeport dans une bassine chez toi.

— Le passeport ?

— Tout ce qui vient de Mario est piégé, pourri comme lui.

J'ai réalisé que je ne pouvais pas le laisser au coin d'une rue sans papiers, c'était encore plus dangereux pour nous deux.

— Reste encore deux ou trois jours chez moi mais trouve une solution. Je t'ai aidé au-delà du raisonnable. Tu n'imagines pas dans quel état je suis, Kader, j'ai l'impression que tout tremble à l'intérieur, tout s'effondre, que je ne retrouverai plus jamais le sommeil. Tu te rends compte de ce que je viens de faire… Je viens d'enterrer un homme que je ne connaissais même pas. Je n'ai même pas regardé son visage.

— C'est énorme, René, ce que tu fais pour moi. C'est comme si j'étais avec l'un de mes frères et que la chose que nous avons enterrée n'était pas un homme. Dis-toi que tu as éliminé une bête nuisible, une bête qui n'a jamais eu de visage.

Je l'ai déposé devant mon vieil immeuble.

— Ne touche surtout pas au téléphone, Kader, je passerai te voir. Mange, dors et ne bouge plus un cil.

Il s'est retourné en ouvrant ma porte, il rigolait.

Isabelle ne partirait à l'école qu'à huit heures. Le jour se levait à peine. J'étais censé dormir dans un refuge, aux confins de la si belle vallée d'Allos. Que n'aurais-je pas donné pour être dans ce refuge, le corps brisé d'escalades et de marches, la tête légère, vide, apaisée. Heureux de m'éveiller dans la pureté glaciale des montagnes et de boire un café brûlant, au-dessus des brumes et des forteresses de Colmars.

À huit heures et demie je suis entré dans la maison d'Isabelle. Sans même me doucher, je me suis fourré dans le lit et je n'ai pas trouvé le sommeil. En un jour et une nuit j'avais vécu plus de choses qu'en dix ans. Ce que je venais de vivre faisait sauter mon corps dans les draps encore chauds d'Isabelle.

23 février

Depuis le 2 février je travaille de l'aube à la nuit, dans les petits vergers et la forêt qui entourent la maison d'Isabelle. Le jour n'est pas encore levé lorsque j'ouvre le hangar. J'aiguise un couteau-scie, consolide le manche d'une bêche et me mets au travail. Je me tue au travail pour ne pas laisser ma tête prendre le dessus. Dès que je m'arrête le mort m'envahit.

J'essaie d'ouvrir un livre. Je lis trois pages et je m'aperçois que je ne comprends pas ce que je lis. J'allume la télé et les images défilent sans que je les voie. Je ne vois qu'une chose, cette tombe, là-bas dans les collines, cet homme qui pourrit dans l'humus et le soufre.

Je travaille comme un forcené. Jamais je n'avais nettoyé les abords de la maison comme je le fais. Je ratisse des monceaux de feuilles rousses, amassées par le vent contre les murets, les haies. On n'imagine pas ce qu'un chêne blanc peut produire de feuilles et en perdre après Noël. Ici, il y a des chênes partout, de véritables cathédrales de feuillages. Je fais d'énormes tas que je brûle. De bosquet en bosquet, j'alimente mes feux.

J'aime entendre le feu craquer, crépiter, claquer, faire exploser les glands et les bambous que je coupe, afin qu'ils n'envahissent pas les oliviers.

J'ai toujours adoré les feux de broussaille, ce bruit, cette odeur de fumée, cette vie.

Je travaille mais mes yeux scrutent sans cesse l'entrée du chemin. Depuis le 2 février mes yeux sont braqués, quoi que je fasse, sur l'entrée du petit chemin qui mène à la maison. Je ne sais pas ce que je redoute le plus, l'arrivée d'une voiture de police ou celle d'une luxueuse bagnole de voyous, BM, Mercedes…

Quand j'entends rugir sur la route une grosse cylindrée, mon cœur bondit. Ces gens-là arrivent souvent à moto, dangereux et rapides comme la foudre.

Je ratisse, coupe, entasse, nourris chaque feu. Mes yeux ne quittent pas plus de dix secondes ce point précis au bout du champ, derrière le hangar.

J'ai fait une folie en tendant la main à Kader, je le paie très cher. Comment fait-il, lui, pour cuisiner, manger, vivre dans une cuisine où il a étranglé un homme ? Dans cette cuisine je ne pourrai plus y entrer. Je verrai toujours ce regard terrible qui dépasse du drap. Cet appartement que j'aimais tant… Nous jouions à cache-cache avec ma fille, presque chaque soir après mon divorce, le chat me trahissait, Marilou n'avait qu'à le suivre pour savoir dans quelle penderie ou placard je me dissimulais. Que de souvenirs de tendresse il y avait dans chacune de ces pièces… À présent il y aurait irrémédiablement ces yeux exorbités, braqués sur moi.

Hier Isabelle a repris le chemin de l'école. Pendant les vacances de février, elle venait m'aider l'après-midi, étonnée par la rage soudaine que je mettais dans ces travaux de fin d'hiver, cette ardeur farouche qu'elle découvrait chez un homme plutôt enclin à la lecture et à de longues rêveries. Elle m'a dit un soir que je rentrais, couvert de sueur et de fumée, bien après la tombée de la nuit :

— Tu te mets dans un état... Ce n'est pas le château de Versailles, ici, ce sera toujours assez propre. Nous entretenons les arbres que mon père a plantés, c'est bien suffisant, il serait heureux de te voir travailler mais ne te mets pas à perdre pour des feuilles mortes. (Elle a disposé le couvert sur la table et a ajouté :) Quelque chose te tourmente ?... Cette nuit tu as lancé des coups de pied, dans ton sommeil tu as crié des choses que je n'ai pas comprises.

— Qu'est-ce que j'ai dit ?

— Tu faisais un cauchemar, tu te battais. Je t'ai dit quelques mots... Tu t'es tourné de l'autre côté et tu as été plus calme, mais j'avais reçu un bon coup de pied.

J'ai pris une douche, nous sommes passés à table et elle n'a plus fait allusion à mon inexplicable excitation. Je suis persuadé qu'elle a compris beaucoup de choses. Elle m'observe, elle m'entoure, elle veille sur moi. Comment faire pour que mes folies ne viennent pas troubler une eau si calme, si belle. L'eau verte de ses yeux...

Je n'ai jamais été aussi fatigué de ma vie. Je dors peu et mal, je suis agité et mes cauchemars bousculent le sommeil d'Isabelle. Ce n'est pas cette bonne fatigue musculaire qui conclut les dures journées de travail sous le soleil et le vent et vous plonge dans de profondes nuits sans rêves.

Je me débats entre deux instants de mauvais sommeil qui me laissent, au réveil, encore plus douloureux de courbatures et d'anxiété. Je vais ouvrir le hangar plus épuisé que la veille lorsque je l'ai refermé et je reprends le travail, une ceinture de pierre autour des reins.

24 février

Isabelle n'a conservé que quelques dizaines de pieds de vigne qui courent le long d'une clôture ou s'accrochent à des murs de pierre sèche. Aujourd'hui nous les avons taillés, rabattus. Ils sont vieux mais donnent encore un raisin violet et âpre, des grappes aussi serrées et dures qu'un poing.

Le mercredi après-midi l'école est fermée, nous avons travaillé côte à côte dans un beau soleil doré, étonnamment chaud pour la saison. Les oiseaux bondissaient partout, des chats de toutes les couleurs montaient du village chercher fortune dans les prés et se purgeaient dans cette belle herbe neuve, éclairée de fleurs.

Nous coupions les sarments au-dessus du deuxième œil et j'en faisais des petits bûchers que je brûlais de loin en loin. Je crois que j'ai beaucoup moins regardé l'entrée du chemin. Isabelle était là, paisible, si rassurante avec ses gants de jardinier, son sécateur rouge, le geste juste et sûr qu'elle a vu faire par son père des milliers de fois, dès qu'elle a été en âge de trotter autour de lui, dans les champs et les forêts. Elle a tout appris de la chasse, des cultures, des saisons, auprès de cet homme qui l'adorait et l'emmenait partout.

Je crois qu'elle a profité de ce moment de paix, sous cette belle lumière, pour me dire :

— Depuis que tu héberges cet homme, cet ancien détenu que je n'ai jamais vu, tu n'es plus le même, René, tu es souvent sombre, silencieux. Je ne sais pas ce qui t'inquiète, tu ne ris plus… Tu devrais sans doute récupérer ton appartement, nous retournerions y dormir de temps en temps. C'est une chance d'avoir une résidence secondaire en ville… J'aime bien tailler la vigne, j'aime aussi faire les magasins, acheter deux frivolités qui resteront dans mon placard, aller au restaurant… Dis-lui de se trouver un bungalow dans un camping, il y en a de très confortables et l'hiver, ici, ça ne coûte rien.

Elle avait mille fois raison. Comment lui expliquer que tout ce qui portait uniforme recherchait cet homme et qu'il ne pouvait même pas se présenter à la réception d'un camping. Il avait brûlé le passeport douteux de Mario et sans doute avait-il bien fait.

En promenant mon râteau d'un feu à l'autre, j'ai décidé d'aller le lendemain parler à Kader et de récupérer mes clés. Sa présence si proche au milieu de mes vêtements, de mes livres, allait me démolir et détruire la paix dorée de ce petit vallon.

25 février

J'ai retourné dans ma tête, une partie de la nuit, ce que m'avait dit Isabelle en taillant les vignes. Trouver un bungalow pour Kader, n'importe où, et récupérer mes clés.

À huit heures, lorsqu'elle est partie à l'école, j'ai ouvert l'annuaire et téléphoné aux campings les plus proches. Esparron, Gréoux-les-Bains, Moustiers… Tous étaient fermés. Un répondeur annonçait parfois que le camping ouvrirait en mars, en avril… Je suis enfin tombé sur une vraie voix de femme. Le camping, l'Hippocampe, était au bord d'un lac, à Volonne. J'ai dit que je cherchais un bungalow pour pouvoir travailler dans le silence, pendant deux ou trois mois.

— Ce serait pour quelle période ?
— Tout de suite.
— Combien de personnes ?

— Je suis seul… Enfin, nous y travaillerions à tour de rôle, avec un ami qui est écrivain, comme moi.

— J'ai peut-être ce qu'il vous faut. Des ouvriers en ont libéré un, hier. C'est petit. Le « Bali » est un peu plus grand, mais je n'ai plus que celui-ci, le « Fidji », vingt-quatre mètres carrés, deux petites chambres…

— C'est parfait, nous n'y serons jamais ensemble… Quel est le prix en hiver ?

Au silence, j'ai compris qu'elle consultait un écran.

— Quatre cent quatre-vingts euros, jusqu'à la mi-juin… Ça irait ?

— Du moment qu'il y a une douche, un coin cuisine et du chauffage…

— Vous aurez même droit à un téléviseur.

— Ne coupez pas la télé, dans une demi-heure je suis là. Ne le donnez à personne d'autre, même si c'est George Clooney ou Leonardo DiCaprio.

— Vous êtes si beau que ça ! a-t-elle dit en éclatant de rire.

— Vous allez tomber par terre dans une demi-heure !

Une heure plus tard je visitais un petit bungalow vert et blanc, à vingt mètres d'un lac aveuglant de lumière. La jeune femme blonde qui m'accompagnait n'était pas tombée par terre, elle semblait même un peu déçue. Avec un léger accent hollandais, que je n'avais pas perçu au téléphone, elle m'a dit :

— Vous écrivez des romans ou vous êtes journaliste ?

— Moi, des romans, mon ami est journaliste. Quand on fait ces métiers, on a besoin de beaucoup de silence. Ce sera parfait.

— Ici, personne ne vous dérangera, les gens partent tôt le matin, rentrent la nuit. La plupart travaillent sur des chantiers, ils ne restent que quelques mois. L'été c'est de la folie, on agrandit chaque année et il y a toujours plus de demandes… Le propriétaire a racheté tous les terrains d'à côté. Il va ajouter une trentaine de bungalows. Il faut parler toutes les langues. Les gens en ont marre de la Côte d'Azur, ils viennent ici chercher le calme et la nature.

J'ai rempli un imprimé, payé deux mois et j'ai filé avec les clés. Je n'ai pas pu faire autrement que montrer mes papiers d'identité. La jeune Hollandaise, avec une application d'écolière, en a noté l'interminable numéro qu'elle suivait avec le bout de son doigt. Chacun de ses ongles était recouvert d'un dessin différent.

Je m'apprêtais à ouvrir la porte de mon immeuble lorsque j'ai entendu mon nom. Malgré les lunettes rouges, je ne l'ai pas reconnu tout de suite. Kader s'était laissé pousser la moustache et portait un bonnet de marin en laine qu'il avait enfoncé jusqu'aux sourcils. Le plus fin limier ne l'aurait pas reconnu non plus. Il était attablé à la terrasse inondée de soleil de la Barbotine, devant un café et un Coca.

— Tu vois, je prends mes habitudes… C'est Saint-Trop' ici. J'ai bien cru que je ne te reverrais plus.

J'ai tiré un fauteuil près de lui.

— J'ai bien cru moi aussi que je ne remettrais jamais les pieds ici. Je fais des cauchemars toutes les nuits, je vois des voitures de police partout, quand j'entends une sirène, je me couvre de sueur.

Kader me regardait en souriant, comme si j'évoquais une lointaine bêtise d'enfance, un vol de bonbons ou de patins à roulettes, un souvenir d'école buissonnière.

— Tu as été parfait, René, dis-toi bien que la page est tournée. Il ne se passera rien. Des crapules comme lui, personne ne s'en soucie, quand les flics en trouvent une, remplie de plombs sur le trottoir, discrètement ils applaudissent. Quand l'un d'eux disparaît au fond du golfe, dans un costume en ciment, l'enquête ne sort même pas du tiroir. Ils ajoutent une croix, un de moins! On a fait le travail des flics. Celui qu'ils n'ont pas le droit de faire.

— Toi! Tu l'as fait!

— Tu as raison, il ne s'est rien passé.

— Isabelle est aussi inquiète que moi. Elle est très fine, elle sent bien qu'il s'est passé quelque chose… Il n'y a qu'à me regarder.

— Qu'est-ce qu'elle dit?

— Elle dit qu'elle aimerait revenir passer des week-ends ici. Elle me trouve sinistre depuis quelques jours.

— J'ai abusé, René, je vais dégager.

J'ai sorti de ma poche les clés et les ai posées sur le guéridon.

— Je viens de louer pour deux mois un ravissant petit bungalow au bord d'un lac. Personne ne te demandera rien. En cette saison, il n'y a que des travailleurs qui rentrent épuisés et s'écroulent devant la télé. Tu pourras même pêcher si tu veux.

— Tu l'as loué exprès pour moi?

— Je veux sauver ma peau, Kader, mon couple, j'essaie de me protéger. J'ai dit à celle qui s'en occupe que nous serions deux à utiliser le bungalow, moi pour écrire mes romans, toi tes articles. Tu es journaliste.

— Moi, journaliste? Quand elle verra ma tête…

— La nana que j'ai vue ne te posera aucune question. Elle veut louer ses bungalows, été comme hiver, du moment que tu ne te tires pas avec le micro-ondes et la télé.

— Elle est mignonne?

— Jeune, blonde, un petit accent érotique, des ongles de toutes les couleurs. Un vrai champ de tulipes.

— Il est où ce lac? J'y vais tout de suite.

C'est étrange, j'étais plus angoissé loin de Kader que près de lui. Près de lui tout devenait naturel, sans importance. Le crime était banal, la morale simple, rudimentaire, animale. Chacun de nos actes se valait, aucun n'était vraiment condamnable.

Presque simultanément midi a sonné aux deux clochers de la ville. Je lui ai demandé s'il avait faim.

— Je pourrais manger un rat mort pourvu qu'il y ait un peu de moutarde.

— Je connais un petit restaurant derrière, ils en font un succulent... On est tellement bien, ici au soleil, on pourrait se contenter du plat du jour.

La terrasse s'est remplie en dix minutes. Tout le monde se ruait vers ce coin de printemps, commandait une salade en levant de beaux bras nus déjà dorés. Nous avons commandé deux tartiflettes.

— C'est comme ça que j'imaginais la liberté quand j'étais dedans, une terrasse, des femmes partout, un ami... Tu veux que je te raconte une blague?... Je les oublie toutes, sauf celle-là, elle est tellement vraie.

— Vas-y.

— Un homme entre dans une banque et s'adresse à la guichetière : «Je voudrais ouvrir un putain de compte dans cette banque de merde! — Pardon?..., dit la dame, choquée. — T'es bouchée? Je voudrais ouvrir un putain de compte dans cette banque de merde! — Mais enfin, monsieur, restez correct! — Tu veux mon poing sur la gueule ou quoi ? — Très bien, monsieur, j'appelle le directeur ! — C'est ça, pouffiasse, appelle ton connard de directeur ! » Le directeur arrive : « Il y a un problème, monsieur ? — J'en sais rien, je veux juste ouvrir un putain de compte dans cette banque de merde parce que j'ai gagné cent millions au Loto. » Le directeur répond : « Et cette connasse vous fait chier ? »

Kader a lancé sa tête en arrière et s'est mis à hennir. Toute la terrasse s'est tournée vers ce rire tonitruant. Sa propre blague le faisait suffoquer.

— Chaque fois que je la raconte, je vois la tête de la femme, ça me rappelle un braquage que j'ai fait à Salon, la femme derrière le guichet faisait la même tronche. Elle est restée la bouche ouverte tout le temps qu'on était là.

J'ai attendu qu'il se calme. J'ai baissé la voix pour lui demander ce qu'il avait fait des deux calibres. C'est tout ce qu'il avait gardé de Maldera.

— Je les ai dans ma ceinture. Un derrière, l'autre devant, une balle engagée dans chaque canon. Personne ne me reprendra vivant. Je ne retournerai jamais là-bas et ils le savent… Je me suis évadé deux fois, René, et j'ai attaqué une prison. Ils me mettront dans un trou, sous le mirador, et je ne verrai plus jamais le jour. J'ai connu l'isolement pendant des années, ce qui m'attend est pire. Ils ont inventé quelques oubliettes que même l'administration pénitentiaire ne soupçonne pas.

— Comment tu as fait pour t'évader la première fois? Je me souviens que tu nous l'avais
raconté dans l'atelier d'écriture. J'ai oublié.

Comme tous les voyous qui racontent une histoire dans un lieu public, qu'ils évoquent une
attaque de fourgon ou le tiercé qu'ils viennent
de faire, tous baissent la voix et parlent sans
desserrer les lèvres. Ils ne sont jamais sortis du
monde secret de l'enfance, de ce long murmure
de confidences qui accompagne les gosses, au fil
des rues. Les cours de promenade de toutes les
prisons ressemblent à des cours d'école où tour-
neraient des enfants perdus et dangereux. Des
enfants qui ont cru trouver dans le crime la rassurante chaleur d'une famille.

— J'avais vingt-deux ans, j'étais tombé pour
une série de braquages audacieux, je ne craignais
personne. Trois gros truands m'ont pris en sym-
pathie, des types du milieu, des pointures… Dans
la cour du bâtiment A, je marchais avec eux. Des
amitiés de cour de promenade… Tout le monde
les respectait, gardiens comme détenus. Ils m'ap-
pelaient «petit», je ne manquais de rien. Cinq
minutes avant, je ne savais pas que je partirais
avec eux. Un de leurs amis, à l'extérieur, avait
réservé un hélico pour un baptême de l'air, avec
une certaine Lydia. 25 juillet 1992… J'ai la date
gravée dans la tête. Le ciel était blanc, il faisait
une chaleur terrible. La cour du A, entre les bâti-
ments, était comme un four. Tout d'un coup on
a entendu un bourdonnement, tous les détenus

ont tourné la tête vers le ciel. La cour s'est figée, dans un silence et une immobilité totale... En quelques secondes on a entendu un fracas de tous les diables. Il n'y avait pas encore de filins d'acier au-dessus des prisons. Le bruit des pales et du rotor était assourdissant, tous les papiers s'envolaient, la poussière... Les trois truands m'ont dit: «Tu viens avec nous, petit?» Je n'ai pas réfléchi, je suis monté avec eux sur le toit de la chaufferie, entre le A et le B. Tu le vois ce toit, en béton un peu rouge?... Toutes les sirènes de la prison se sont déclenchées, les détenus hurlaient. Avec le bruit énorme de l'hélico et la poussière, c'était le Vietnam.

Plus il y avait de bruit dans son récit, plus il baissait la voix et approchait du mien son visage.

— On a sauté dedans et il s'est arraché. Si on avait touché le moindre coin d'un bâtiment, avec les pales, tout explosait. On est tombés sur un très grand pilote. Un cador!... J'ai vu disparaître les Baumettes, en dessous, les types sautaient en criant dans toutes les cours. Mille cinq cents gus qui auraient voulu faire partie du voyage.

— Les miradors n'ont pas tiré?

— L'hélico serait tombé, il y aurait eu des dizaines de morts. Ils auraient pu tirer, ils ne l'ont pas fait. Je crois qu'ils ont été surpris.

— Vous vous êtes posés où?

— L'hélico nous a laissés dans un champ, près de Simiane-Collongue. Figure-toi que dans ce champ j'allais y jouer au foot quand j'étais minot… Une bagnole attendait mais il n'y avait pas assez de place pour tous. Ils m'ont filé un fusil à pompe et ils m'ont dit : « Démerde-toi, petit ! » Ils m'ont laissé là, au bord de la route… Cinq minutes plus tard j'ai braqué une Simca avec le pompe. J'ai jeté le mec dehors et j'ai filé. J'ai roulé sans savoir où j'allais, je voulais m'éloigner de Marseille. Au grand rond-point de Port-Saint-Louis-du-Rhône, je suis tombé sur un barrage de la douane volante. Je savais qu'ils n'étaient pas là pour moi. J'ai foncé. Ils m'ont pris en chasse et ils ont canardé. Avec ma Simca bidon, je n'arrivais pas à les semer, j'entendais les balles qui déchiraient la tôle. J'ai compris que j'allais mourir. Je me suis arrêté et j'ai levé les mains. Je n'ai pas touché le pompe, sur le siège d'à côté. Ils m'ont jeté sur le goudron fondu par la chaleur, ça m'a brûlé tout le côté… Ils ont appelé les gendarmes et je me suis retrouvé dans des geôles. J'ai compris qu'ils ne savaient pas à qui ils avaient affaire. Pourtant le plan Épervier était déclenché. Ils n'ont fait le rapprochement qu'une heure plus tard. Tu aurais vu leurs têtes… On aurait dit qu'ils tenaient Al Capone ! Tout le monde venait me voir… Je suis resté deux jours à l'Évêché, puis direction le cachot du bâtiment D, le quartier disciplinaire des Baumettes. J'étais parti pour quelques années… Je suis resté libre deux heures. Ces deux heures, c'est un souvenir énorme…

Les uns après les autres, les gens quittaient la

terrasse à regret, regagnaient les banques, les bureaux, les boutiques. Bientôt nous sommes restés seul devant un café. Je lui ai dit :

— Tu as toujours la moto que tu as prise à Tarbes ?

— Elle est dans ton box, dans la petite rue derrière.

— Monte chercher tes affaires, tu me suivras à moto jusqu'au camping. C'est bien que l'employée te voie avec moi.

— Quelles affaires ?

— Tu as bien des trucs à toi, là-haut…

— Depuis plus d'un mois je m'habille avec tes fringues, je me lave avec ton savon et je vide tes provisions. On peut bouger, j'ai les clés de l'engin dans la poche.

— Va prendre quelques vêtements de rechange, tu as vu ma penderie ? J'ai des chemises, des pulls, des vestes à revendre, maintenant j'habite au bord de la colline, ma seule richesse c'est Isabelle, un jean et un tee-shirt me suffisent… Fourre tout dans un sac de sport, avec dentifrice et shampoing, je t'attends ici.

Une heure plus tard nous étions installés tous les deux sur la minuscule terrasse en bois du bungalow. L'eau verte du lac n'éblouissait plus, le soleil basculait de l'autre côté des collines, dans l'étroite vallée du Jabron, où tournent, au-dessus de trois hameaux déserts, des nuages de corbeaux.

Lorsque nous nous étions garés, je m'étais débrouillé pour dire quelques mots à la jeune femme aux ongles et à l'accent troublants. Je l'avais sentie plus intéressée par cet étonnant journaliste que je lui présentais que par moi quelques heures plus tôt. Moustache, lunettes rouges, bonnet de marin faisaient leur effet, la silhouette souple et la puissance des épaules achevaient le travail. Bel homme, ce journaliste aux allures de boxeur. Sans doute un intellectuel baroudeur. Il ne faudrait pas qu'elle le cuisine trop...

— J'aimerais que mon fils soit avec moi, ici, a dit Kader, c'est le paradis. Il m'a toujours vu dans des parloirs, ou menotté dans des palais de justice. Il avait trois ans quand j'ai replongé pour l'attaque de la centrale d'Arles. Il en a seize aujourd'hui et il n'a que des souvenirs de parloirs, de fouilles, d'attentes devant la porte des prisons, par tous les temps.

— Tu n'as qu'un fils ?

— Je n'ai que Bryan. C'est toute ma vie... Je l'aime plus que tout et je le fais souffrir depuis seize ans.

— Il vit avec sa mère ?

— Elle s'est mariée avec un type bien, il travaille dans un garage. Elle n'en pouvait plus de cette vie. Faire chaque semaine des centaines de kilomètres pour m'apporter du linge propre et regarder ma tête fermée dans un placard et le petit, à côté, qui dessine ou lit une BD... Bryan vit avec eux, dans une petite maison de Carry-le-Rouet.

— Tu as trouvé un moyen pour le voir, ces jours-ci?

— C'est très risqué... Ils sont les premiers à avoir été mis sur écoute, avant même mes frères et sœurs. Je me suis quand même débrouillé pour le voir deux fois, sur le parking du port, à Carry-le-Rouet. Bryan est très intelligent, on a un code tous les deux. Personne ne se doute de rien, même pas sa mère, elle serait folle. Je la connais, depuis mon évasion elle ne vit plus. Elle a tellement vu les flics débouler à l'aube et défoncer la porte avec une armada... Elle n'en peut plus, je la comprends. Elle a choisi une autre vie. Elle ne veut plus entendre parler de moi... Tu n'imagines pas ce que c'est que de parler à son fils au-dessus du port, presque librement... Si tu vois comme il est beau... Il paraît qu'il a ma tête. J'espère qu'il n'a pas ce qu'il y a dedans.

— Il travaille à l'école?

— Il vient de rentrer au lycée Langevin, à Martigues. Il lit beaucoup, comme toi, je trouve qu'il a un bel accent, pas du tout vulgaire. Il s'exprime bien. Franchement, René, je suis fier, j'aimerais que tu parles avec lui. Bryan, c'est ce que j'ai de plus cher au monde...

Pour la première fois, je voyais l'émotion envahir Kader. Les larmes noyaient ses yeux, il avait du mal à terminer ses phrases.

— Je crois que je vais être bien ici, a-t-il poursuivi, c'était trop grand chez toi, trop beau. Quand on passe vingt ans dans neuf mètres carrés, tout est trop grand, on a des vertiges dans la rue, on ne sait plus ouvrir une porte, on a peur de se faire remarquer en achetant son pain. Ici c'est petit, je serai bien. J'espère qu'on ne me posera pas de questions dans le camping.

— Si on te demande quoi que ce soit, dis que tu es grand reporter, que tu travailles sur le terrain, souvent à l'étranger.

— Pour la télé ou un journal?

— Un peu tous les journaux... Tu es indépendant, free-lance, reporter de guerre... Ça te va bien et ça te permet de ne pas trop t'étendre, tu es ici pour te détendre, pas pour parler des bombes et du sang...

— Tu viendras me voir, ici?

— Évidemment, il faut qu'on me voie aussi de temps en temps, le bungalow est à mon nom. J'ai une canne à pêche, je viendrai avec.

— Tiens, regarde... Je planquerai la clé ici, sous la terrasse, derrière ce pilier. Si je suis allé faire un tour, tu te sers un verre et tu m'attends, je ne serai pas bien loin.

Il m'a raccompagné à la voiture. J'allais ouvrir la portière lorsqu'il a posé sa main sur mon épaule. Il esquissait un sourire mélancolique et affectueux.

— Dans cette cavale, René, j'ai rencontré un ami. Je ne savais pas ce que ce mot voulait dire. En prison, on ne se fait pas d'amis, jamais, les amitiés de cellule, c'est une belle histoire pour le cinéma… Loyauté, franchise, générosité, tous ces mots n'existent pas en prison. Tu m'as fait connaître leur réalité. De mon fils, je ne parle jamais à personne, c'est trop précieux et j'ai honte de tout ce que je lui ai fait subir. Je t'en ai parlé sans m'en rendre compte. Ça m'a fait du bien… J'espère vraiment que tu vas revenir avec ta canne à pêche.

Ses yeux ne brûlaient plus de lueurs implacables. Ils étaient mouillés et doux. Il n'osait plus ajouter un seul mot de peur d'être submergé par l'émotion.

J'ai vu la silhouette de Kader rétrécir dans mon rétroviseur, puis disparaître dans ce paysage merveilleux, incendié par les derniers rayons.

Je ne savais pas si je trouverais la force de revenir ici. Je laissais au bord de ce lac un homme irrémédiablement seul. Un homme qui porterait en lui la prison, où qu'il aille, où qu'il fuie.

Même dans cette vallée extraordinaire, je savais que dès qu'il serait seul il fermerait à clé la porte du bungalow et retournerait dans la terrifiante solitude de sa cellule, comme il avait pris l'habitude de le faire durant vingt années. Même mon appartement était trop grand pour lui… Après vingt ans d'isolement, de dialogue avec un mur, de silence, « liberté » est un mot qui fait peur. Un mot qui n'existe pas.

Il vivrait désormais, même au bord des plus beaux lacs, dans le brouillard des prisons, au milieu d'un peuple de fantômes qui tournent inlassablement dans des cours où les saisons ne descendent pas, des cours où ne se promènent que l'égoïsme, la peur et la cruauté.

4 mars

Depuis huit jours je travaille comme un forcené, autour de la maison d'Isabelle. J'ai bien essayé de reprendre un livre, il me tombe des mains. Mon esprit est ailleurs. Seul le dur travail physique écarte un peu les noires obsessions qui m'étreignent jour et nuit.

J'ai dit à Kader que j'irais le voir, c'est au-dessus de mes forces. Pourtant il faudrait que je me montre un peu, là-bas. J'espère que les gens ne se posent pas trop de questions, en voyant cet étrange journaliste désœuvré tourner dans un camping.

Je suis allé acheter douze sacs d'engrais organique, que je répands autour des arbres que je bêche. J'ai commencé par la trentaine d'oliviers. Il me reste tous les fruitiers, les quatre cerisiers immenses, les deux raies de cognassiers, l'abricotier qui doit avoir mon âge et se couvre d'excroissances de gomme, les figuiers qui ont poussé un peu partout, au fil des années. Certains ont surgi des murets de pierre qui soutiennent les terrasses ; ceux-là, je me contente de les observer grandir et crever les murs que je rafistole tant bien que mal.

Je pioche, j'arrache l'herbe, je nourris la terre du matin au soir. Quand mes muscles sont en bois, je prends une petite douche, enfile une veste propre, et je descends boire un café et jeter un coup d'œil sur le journal, dans le bistrot du village.

Les gens savent que j'écris des livres, que je vis avec l'institutrice des tout-petits. On se salue, rien de plus. J'ai ma petite table dans un coin, que personne ne convoite. Ils viennent là pour parler fort, rire et commenter ce qu'on entend à la télé, ou les résultats médiocres de l'Olympique de Marseille, cette année. J'ai l'impression qu'il y a de moins en moins de chasseurs. Près du comptoir, on tire à la chevrotine sur les hommes politiques qui deviennent de pitoyables guignols.

Je trouve ce brouhaha bon enfant, rassurant. Qui se douterait que ce type banal et silencieux qui lit, comme tout le monde, le résultat des matches dans *La Provence* a enterré un homme dans la colline, à quelques pas d'ici ?

Parfois c'est la pluie qui interrompt mon travail. Depuis plusieurs jours les giboulées se succèdent. Je commence à piocher sous un soleil mordant, et en quelques secondes tout s'obscurcit et je reçois sur la tête une averse glacée. J'ai à peine le temps de courir me mettre à l'abri dans le hangar. Nous avons même eu, deux ou trois fois, de la neige fondue. Ces averses sont aussi soudaines que brèves. Je sais que je reprendrai bientôt mon travail.

Du hangar, j'observe le mouvement de ces forteresses de nuages, elles sont arrivées en un instant, en un instant elles entrouvrent une porte massive, derrière d'épaisses murailles apparaît un ciel couleur de gentiane. Trois minutes plus tard, le soleil inonde les prairies trempées où étincellent les tapis des myosotis, des pâquerettes et des fleurs de pissenlit. Des guirlandes de chardonnerets et de pinsons descendent des collines et rebondissent partout dans les labours noirs.

Vers trois heures et demie Isabelle revient de l'école. Elle s'arrête dans le chemin, m'observe un instant. Elle ne m'a jamais vu me jeter dans le travail avec une telle rage. Hier soir, je lui ai dit que mon ancien élève des Baumettes avait loué un bungalow, dans un camping, et que nous pourrions reprendre nos week-ends dans mon appartement à Manosque. Elle a acquiescé avec un sourire aussi léger qu'énigmatique. Je ne l'ai pas sentie très rassurée.

Elle s'est tout de même blottie contre moi pour regarder, une énième fois, *Robin des Bois prince des voleurs* avec Kevin Costner. Je ne sais trop ce qu'elle adore dans cette aventure d'amour et de justice au milieu d'une merveilleuse forêt. Elle s'est endormie contre moi et j'ai baissé le son pour ne pas déranger la beauté paisible de son sommeil.

5 mars

Dès qu'Isabelle a quitté la maison, ce matin, je me suis mis au travail. Il avait plu une partie de la nuit, le sol était trop lourd pour retourner la terre, j'ai décidé de tailler les rosiers. Vers dix heures, une averse très dure s'est mise à crépiter sur les tuiles. Je me suis changé et je suis descendu en voiture au village.

J'ai attrapé le journal, commandé un café et me suis installé dans mon coin. C'est étrange, il n'y a jamais personne à cette table, c'est ma préférée.

J'ai regardé la première page et mon cœur a cessé de battre :

UN FERRAILLEUR ABATTU À MARSEILLE

Ce titre était écrit en lettres énormes au milieu de la page. En lettres énormes et noires au milieu du bistrot. Il était plus sonore et plus grand que le bistrot.

Ma vue s'est brouillée. J'ai inspiré profondément et j'ai lu la première ligne :

Aucune chance n'a été laissée à Mario S., un ferrailleur de quarante-cinq ans, abattu par balles dans le quartier de Saint-Louis.

En une seconde j'étais inondé de sueur de la tête aux pieds et j'aurais été incapable de poursuivre ma lecture, incapable de rester une minute de plus assis, face à ce titre en caractères gras. J'avais la sensation que tous les gens autour de moi avaient lu l'article et m'observaient.

J'ai payé mon café que je n'avais pas bu et je suis sorti. J'ai tourné un moment, au hasard, dans les rues du village. Mes jambes avaient du mal à me soutenir, comme la nuit où Kader avait étranglé Maldera.

Il n'avait pas pu faire ça, tuer encore un homme, ce n'était qu'une horrible coïncidence... Dix autres personnes rêvaient sans doute d'abattre cette crapule.

Sans savoir comment je me suis retrouvé devant la porte de la maternelle d'Isabelle. Je me suis empressé de faire demi-tour. Jamais je ne viens là pendant la journée. M'avait-elle aperçu, à travers les vitres de sa classe ?

J'ai longé la rivière un moment puis je suis revenu sur la place. Non, ça ne pouvait pas être lui. Il n'était pas fou à ce point...

Une énorme pierre brûlante broyait ma poitrine. Je suis entré dans la maison de la presse, j'ai acheté le journal et je suis remonté chez Isabelle par le chemin, en oubliant que j'étais descendu en voiture. Mon cœur cognait comme un cheval affolé enfermé dans un van.

J'ai fermé la porte à double tour et j'ai lu debout dans le couloir :

Aucune chance n'a été laissée à Mario S., un homme de quarante-cinq ans, abattu par balles dans le quartier de Saint-Louis. Il n'était guère plus de trois heures, hier après-midi, lorsqu'un homme a pénétré dans un immense terrain couvert de véhicules accidentés et de pièces détachées, au cœur de l'arrondissement. L'homme s'est dirigé vers le bureau et avec un sang-froid étonnant a tiré à plusieurs reprises sur le propriétaire du lieu, un certain Mario S., bien connu des services de police pour racket, extorsion de fonds, trafic d'armes et de faux papiers, recel. L'homme est mort avant l'arrivée des secours, de plusieurs balles tirées en pleine tête. Une autre balle lui aurait perforé le thorax. Son visage est paraît-il méconnaissable.

C'est le cinquième homicide par balles, depuis le début de l'année, dans la cité phocéenne. Le mode opératoire laisse penser qu'il s'agit d'un règlement de comptes entre malfaiteurs chevronnés. Selon la brigade criminelle de la PJ de Marseille qui dirige l'enquête, cet assassinat porte la marque du grand banditisme, l'arme de poing utilisée serait un 9 mm. Ce n'est pas le mode opératoire des règlements de comptes des cités. L'âge de la victime ne correspond pas à ce que l'on observe dans d'autres assassinats liés au trafic de stupéfiants.

Selon les témoins, des ferrailleurs qui travaillaient sur les lieux au moment des faits, l'homme est arrivé par une petite porte dérobée, sur l'arrière de la casse, que peu de gens connaissent. Il s'est dirigé, sans se presser, vers le bureau. On a entendu trois ou quatre détonations. L'homme est ressorti et s'en est allé, comme il était venu. Pas une seconde il n'a regardé autour de lui, ni accéléré son pas. Il était aussi calme que s'il était venu récupérer une simple pièce détachée. Il portait des lunettes noires, c'est tout. L'homme aurait pris la fuite sur un gros cube, garé derrière la casse.

Les enquêteurs confirment le grand calme du tueur,
qui a pris le temps de ramasser toutes les douilles. Le
procureur de la République nous a confié que l'enquête
s'annonce très difficile, l'homme à la moto est sans nul
doute un professionnel au sang-froid redoutable.

J'étais terrassé. Une vague d'angoisse déferlait sur moi. J'avais mis les pieds dans la lugubre cité de la mort et ça ne s'arrêterait plus.

En lisant chaque mot de l'article, j'avais vu Kader. Je l'avais vu pénétrer dans cette casse que je connaissais, maintenant, je l'avais vu progresser entre les alignements de voitures, puis entrer dans le mobile home crasseux qui servait de bureau. Je l'avais vu vider froidement son chargeur dans la tête du ferrailleur et repartir aussi calmement qu'il était venu. Je l'avais vu enfourcher sa 750 Suzuki et filer sans même se retourner.

Il n'y avait plus de place pour le plus léger doute. Chaque mot évoquait le calme et la détermination de Kader, mieux que la plus réussie des photos. Chaque geste du tueur, décrit par les témoins, portait la signature de Kader, sa calme obsession, l'itinéraire sans pitié de sa vengeance.

J'étais debout dans le couloir de la maison. J'ai dû m'adosser à la porte d'entrée pour ne pas tomber. Ma poitrine me faisait aussi mal que lorsque j'avais vu Maldera étalé en travers de ma cuisine, sa grosse langue noire au milieu du visage. Chaque mot imprimé sur le journal me désignait du doigt. Je revoyais la casse sous le soleil de l'après-midi, ces hommes couverts de graisse qui désossaient les bagnoles, je voyais la tête de Mario déchiquetée par les balles. Je voyais la marche lente de Kader au milieu des épaves, comme j'avais moi-même marché, quelques jours plus tôt.

Moi aussi les ferrailleurs m'avaient vu et un homme m'avait même suivi jusqu'à Manosque. Cet homme était en train de pourrir sous un mètre de terre, entre les racines d'un chêne.

Je ne pouvais pas rester là, à attendre Isabelle sur mes jambes en coton. J'ai glissé le journal sous une pile de vieux magazines et je suis redescendu au village récupérer ma voiture. Le soleil était revenu, il inondait la place et le jeu de boules, où de nouvelles parties s'organisaient déjà sur le sable mouillé.

J'aurais dû prendre à gauche, devant la petite chapelle, pour revenir chez Isabelle. J'ai tourné à droite et franchi le pont, vers la vallée de la Durance. Ce n'est qu'à la sortie du village que je me suis rendu compte que je me dirigeais vers le camping où se cachait Kader.

Je suis arrivé à l'Hippocampe un peu avant midi. Je ne savais pas ce que je venais faire là. Sans doute dire à Kader de prendre ses affaires et de filer. De sortir de ma vie. Ma complicité était partout, mon appartement puis ce bungalow à mon nom. Cette histoire monstrueuse n'était pas la mienne. Ces cadavres, cette terreur, cet univers de folie et de meurtres. Je voulais retrouver un peu de paix, des sommeils calmes, un visage détendu lorsque je mangeais en face d'Isabelle, un peu de légèreté pour aller chercher son sourire…

Je ne voulais pas vieillir dans une cellule, au milieu d'un peuple de fantômes aux visages éclaboussés de sang. Ma vie était ici, entre les arbres et Isabelle.

Je n'ai pas aperçu la moto de Kader. La clé était dissimulée derrière le pilier, comme il me l'avait dit. Le bungalow était vide, aussi bien rangé que lorsque je l'avais loué. À part le lit défait dans la petite chambre, rien n'avait bougé. La table était propre, aucune vaisselle ne traînait. Dans le frigo, je n'ai trouvé que quelques bières. J'en ai pris une et je suis allé m'asseoir au soleil, sur l'étroite terrasse de bois.

Un profond silence montait du lac. J'étais aveuglé par son immense étincellement. Je n'avais vu personne à la réception, personne dans les allées. Il n'y avait que le printemps autour de moi, dans l'herbe, sur les haies de laurier-tin coiffées de bouquets de minuscules fleurs roses, sur le jasmin d'hiver piqueté d'or.

Je guettais le bruit de sa moto… Ne me parvenait qu'une légère musique, très loin dans le camping, un violon ou la voix limpide d'une femme…

J'ai repensé à mon enfance à Marseille. À la violence qui régnait déjà dans les quartiers.

Il fallait se battre souvent à la sortie de l'école, pour trois billes ou un regard de travers, rouler dans la poussière, déchirer ses genoux, saigner du nez. Mais tous ces morts... Maldera, le ferrailleur roux, la violence incontrôlable de Kader, ces centaines de jeunes qui s'entre-tuaient sous les barres de béton. Que s'était-il passé pour que cette ville sombre dans la peur ? Cette ville claire, dressée sur des rochers blancs, dans laquelle j'allais voir chaque jour, à l'abri du fort Saint-Jean, les petites barques bleues entrer et sortir de la passe, sous le cri des gabians.

Je pensais avoir gardé au plus profond de moi cette ville blanc et bleu où j'avais fait mes premiers pas, accroché à la main de ma mère. C'est une ville noire qui se dressait devant ma vie, une ville sans mère qui me broyait la gorge, comme un cauchemar.

Je m'étais retrouvé, par les détours insensés de la vie, aux côtés de Kader. Je l'avais aidé, protégé, j'étais devenu son complice. Quelle absurdité... Kader était-il meilleur que Maldera, Mario et leurs semblables ? Était-il plus humain, plus honnête ? Avait-il une parole ? Pourquoi l'avais-je aidé, lui ? Il venait du même monde cruel que ceux qu'il éliminait, il avait connu les mêmes blessures, les mêmes humiliations. Il était habité par la même haine.

Non, Kader n'était pas meilleur que tous ceux qui étaient nés, avaient grandi, vécu dans des cités cruelles, et la prison était la plus barbare de ces cités. Comment aurait-il pu être meilleur, après vingt ans passés dans un monde où régnaient l'égoïsme, la brutalité, la perversion ? J'étais le complice d'un homme que la vie avait rendu monstrueux.

Qui était cet homme que j'attendais au soleil, dans un jardin, et qui fonçait je ne sais où, aveuglé par la haine, à la recherche de ses propres démons ?

L'histoire de l'humanité, notre histoire, n'avait-elle pas commencé dans un jardin, semblable à celui-ci ? Adam et Ève n'avaient pas eu d'enfance, pas de mère, un père terrifiant qui les avait châtiés au premier désir. Kader n'était que l'un de ces hommes égarés, chassés depuis la nuit des temps des jardins merveilleux et condamnés à errer dans les ténèbres, à l'écart de toute douceur, exclus de toute beauté.

Je suis resté sur cette petite terrasse une partie de l'après-midi. Je transpirais de chaleur et d'anxiété, guettais le moindre bruit de moteur, sur la route qui longe la Durance, au milieu des pommiers. À part quelques oiseaux sur les bourgeons des lauriers-tins et un chat roux, gras comme un moine, qui était passé sur le chemin et avait tourné distraitement vers moi ses beaux yeux verts, je n'avais vu personne.

Quand le soleil, comme l'autre jour, a disparu dans la vallée sauvage du Jabron, j'ai dissimulé la clé derrière le pilier et j'ai quitté le camping.

Un mot m'attendait sur la table de la cuisine d'Isabelle :

> *Où es-tu ? Je file au yoga. Le poulet semble cuit (à réchauffer). Pour les haricots verts, les laver, les mettre dans l'eau, faire chauffer, laisser dans l'eau chaude, m'attendre… Bisous d'amour.*

Le matin j'avais lu dans *La Provence* des mots terrifiants, je trouvais sur la toile cirée les mots de la tendresse. Les larmes ont noyé mes yeux. Il y avait dans ce monde une main douce qui m'attendait, quoi que je fasse, quoi qu'il arrive. Kader, en naissant, n'avait pas eu ma chance, personne ne l'attendait. Quelque part dans la nuit, sur sa 750 volée avec un pistolet de papier, il filait vers une obscurité toujours plus noire, une implacable solitude.

À cette heure il était peut-être étendu dans une mare de sang, sur un trottoir, ou carbonisé dans le coffre d'une voiture abandonnée aux confins de Marseille.

J'ai fait ce qu'Isabelle avait écrit, j'ai fait réchauffer les haricots, le poulet, et je suis allé à l'entrée du chemin couper quelques rameaux d'amandier, blancs et roses de fleurs. En revenant vers la maison j'ai cueilli un petit bouquet de pâquerettes blanches qui éclairaient l'entre-chien et loup. Je les ai mises dans un verre d'eau, entre nos deux assiettes, et je l'ai attendue. J'avais passé ma journée à attendre. Les rameaux d'amandier et les pâquerettes apaisaient mon cœur épuisé d'inquiétude. Le printemps ne pouvait m'apporter que des jours meilleurs, des jours légers, tièdes et bleus.

8 mars

Il y a deux mois, dans cette petite cuisine jaune, il me semble que j'étais heureux chaque matin. Je repense au merveilleux silence de cette cuisine. Isabelle partait à l'école, laissant son parfum flotter partout dans la maison.

À travers la vitre, je regardais le jour blanchir lentement la campagne. D'abord la vallée au loin, les peupliers de la Durance, puis le clocher ocre-rose du village, le chemin sous les amandiers, les prés autour de la maison. Mon bol de café dans les mains j'observais un couple de verdiers déchiqueter les baies sur les buissons ardents. Je voyais les troupes de pinsons au ventre orangé s'abattre dès les premiers rayons du soleil dans l'herbe blanche de givre, en quête de quelques graines.

Une femme passait sur la route, derrière la maison, accompagnée d'un chien noir. Ils disparaissaient dans la brume. Les cloches dispersaient dans l'air glacé leur musique de bronze.

J'ouvrais ce cahier et je regardais vivre cette vallée. Mon stylo à la main, je l'écoutais s'éveiller, murmurer, bourdonner. J'entendais le cliquetis des boules qui monte du village lorsque le vent vient de l'ouest, les voitures qui franchissent le pont. Le ronflement de la cascade sous les murs du moulin. Quand le vent vient de l'est, j'entends respirer la colline. L'après-midi je partais dans la lumière blonde des chemins. Je marchais jusqu'à la nuit, seul sous les arbres, les nuages et les oiseaux.

J'étais heureux dans ce petit vallon. J'ouvrais ce cahier chaque matin et j'étais ébloui par la liberté que m'offrait la blancheur vierge de chaque page, comme je l'étais dans le silence de tous ces chemins. Libre de marcher, d'écrire, de rêver. Libre de ne penser qu'à l'oiseau, lorsque je regardais l'oiseau, de ne penser qu'à chaque pierre où je posais mon pied lorsque je gravissais les chemins ravinés qui mènent aux crêtes. Libre de ramasser un mot, n'importe où, de tripoter ce mot, de l'observer, de le goûter, de le tordre, d'en extraire de brefs ou longs voyages, des désirs et des peurs.

Aujourd'hui, quoi que je fasse, Kader est là, devant mes yeux. Sa folie a submergé ma vie. Chacun de mes gestes se heurte à lui, chacune de mes pensées bute sur lui. Il a envahi mes rêves, bousculé mes nuits. Il a jeté dans ma poitrine tout ce qu'il charrie avec lui, l'angoisse, la vengeance, les morts. J'ouvre les yeux au milieu de la nuit… Il est là ! J'ouvre mon cahier… Il est déjà sur la page. Les yeux grands ouverts, il me fixe, m'interroge, scrute mon sang-froid, ma peur… Dans ma tête, il a installé le chaos. Sa haine et ses crimes habitent mon corps et je m'attends chaque jour à voir un véhicule de police s'arrêter devant la maison.

Cet après-midi, avant qu'Isabelle ne revienne de l'école, je suis allé rechercher sur son ordinateur les statistiques des crimes élucidés.

J'ai appris qu'un homicide sur huit seulement n'est pas élucidé. Sept sur huit le sont... C'est énorme ! Mes chances sont bien maigres de passer à travers les mailles d'un filet de plus en plus efficace.

Dix ans après, grâce à l'ADN, presque toutes les énigmes sont résolues. Si on déterre le corps de Maldera, même dans dix ans, on retrouvera mon ADN et celui de Kader partout.

En faisant défiler sur l'écran de l'ordinateur des enquêtes scientifiques, je suis tombé sur une histoire hallucinante : le corps d'un prostitué est retrouvé sur une plage de Sicile, étranglé... Une voiture a été aperçue dans le secteur, celle d'un homme d'affaires. Le suspect habite dans un quartier très éloigné de la plage. Chez lui, la police ne trouve aucune preuve de la présence du prostitué, ni empreintes digitales ni ADN. Une femelle moustique a été écrasée sur un mur. On prélève un peu de sang de cette femelle moustique et bingo ! l'ADN du cadavre apparaît. Le prostitué est donc bien venu chez l'homme d'affaires. La police saisit les tennis du suspect et y découvre des fragments de végétaux sous lesquels l'homme étranglé était dissimulé...

J'en ai eu le dos glacé tout l'après-midi. Une femelle moustique... Écrasée sur un mur... À quoi tient la liberté...

9 mars

Il n'y a que l'effort physique intensif qui desserre un peu l'étau qui écrase ma poitrine. Je ne peux plus rester assis. J'écourte les repas face à Isabelle. Nous ne buvons plus le café, longuement, en croquant quelques carrés de chocolat. Je ne la questionne plus sur la vie de l'école et les petites histoires du village qu'elle connaît mieux que personne. Tous les enfants de trois ans passent entre ses mains. Elle écoute avec bienveillance les parents se plaindre de tout, raconter leurs difficultés, leur divorce, la violence, leur solitude, leur dépression, avec l'haleine chargée d'alcool et de café. Les gens heureux récupèrent en souriant leurs enfants, les serrent dans leurs bras et s'en retournent gaiement goûter dans les jardins.

Dès la dernière bouchée, je fais la vaisselle, enfile mes gros souliers de paysan et me rue sur le travail.

Comme nous avons taillé les vignes avec Isabelle, il y a quelques jours, je taille les fruitiers : poiriers, cerisiers, noisetiers. Je grimpe souvent au sommet d'une échelle, les cerisiers sont immenses, l'abricotier muscat a plus de cinquante ans, il est couvert de gomme mais se porte comme un jeune homme. Je me dis parfois que si je dégringolais et me cassais une jambe, ça arrangerait bien les choses. On ne soupçonne pas de gestes horribles quelqu'un qui a la jambe dans le plâtre. On ne l'imagine pas errant dans les collines, la nuit, un cadavre sur l'épaule.

Cette histoire d'ADN dans le sang d'un moustique m'est restée sur l'estomac. La moindre poussière peut me trahir. Je repasse le film cent fois dans ma tête en travaillant. Le corps de Maldera étalé dans la cuisine, la cage d'escalier, toutes ces portes, ces judas, le transport dans l'Express, le trou… Des poussières d'ADN, il y en a partout entre ma cuisine et le trou.

J'ai lavé l'Express à grande eau ; je me sers pour bêcher d'outils que nous avons utilisés, pelle et pioche, afin qu'on ne retrouve pas dessus un peu de terre de la colline, si différente de la nôtre, ici, autour de la maison.

Depuis quelques jours, je sens battre presque sans arrêt ma veine jugulaire et ma paupière gauche tressaute sans raison. Tout cela doit être nerveux. Isabelle voit-elle ma paupière sauter ? Elle voit ma tête, c'est suffisant. Je travaille tout le jour au soleil, quand je me regarde dans la glace, le matin, je suis gris. Je suis maigre et gris.

Je déplace mon échelle, monte, descends, taille, transporte des brassées de rameaux, brûle, remonte, coupe… De temps en temps une voiture passe sur la route ou quelqu'un, des corneilles se posent sur le toit du hangar, m'observent. Des maçons assemblent une charpente, un peu plus bas dans le village, j'entends le choc mat de leurs marteaux sur le bois, puis l'écho que répercute le grand mur de l'église. Le vent siffle dans notre petite forêt de bambous. Partout les fleurs s'allument autour de moi. Quelques nuages blancs, déchirés par le vent, voyagent au-dessus des montagnes.

Tout semble à sa place. Tout paraît normal. Je sens battre la veine de mon cou et ma paupière gauche tressaute.

Je travaille jusqu'à la nuit. Éreinté, je range échelle, sécateur, couteau-scie. Je prends une douche et je mange face à Isabelle, en tirant discrètement sur ma paupière gauche, pour qu'elle ne saute pas. Je ne trouve rien à lui dire. Hier soir elle a rompu le silence. Vers la fin du repas elle m'a dit :

— J'ai l'impression que tu n'as plus envie de lire, ni d'écrire. Tu n'es pas obligé de te tuer au travail, nous aurons quand même des fruits cet été, même trop, la cave est pleine de pots de confiture. Il y a combien de temps que tu n'as rien écrit ?

— J'écris un cauchemar, quelques mots sans suite… Ça n'intéressera personne, un livre c'est beaucoup plus qu'un cauchemar…

— Je dors contre toi, René, le cauchemar tu le fais toutes les nuits. Qu'est-ce que c'est ? Tu fais des bonds, tu donnes des coups de pied…

— C'est étrange... Quelqu'un tue des gens autour de moi et je suis responsable de leur mort... Même réveillé, je me sens coupable...

— Tu devrais prendre quelques jours de vraies vacances, partir dans un hôtel, te distraire. Tu es toujours seul dans les collines ou dans ce hangar plein de poussière, tu ne parles à personne... Il y a quelque temps tu descendais boire le café au bistrot du village, le matin, tu lisais le journal. Momon, le patron, t'a même invité un jour à manger avec lui, il voulait que tu écrives son histoire. Je crois qu'il t'attend encore... Choisis une belle ville et promène-toi au milieu des gens. Installe-toi avec un livre à la terrasse d'un café. Va voir l'une de tes filles, à Montpellier, à Orléans. Achète des vêtements, un peu de musique. Dès le matin tu te fourres dans ce pull, tu ne le quittes plus jusqu'au soir. Je suis obligée de te l'arracher pour pouvoir le laver une fois par mois. Tu deviens trop solitaire ici, farouche. Mon père était comme toi, il n'y avait que ses champs et les collines, ses outils et son fusil. Toi, tu n'es pas paysan, ton métier, ta passion, c'est écrire...

J'attends qu'elle parte à l'école pour écrire l'autre côté de ma vie. Ce que je ne peux dire à personne, même pas à Isabelle, elle en tomberait gravement malade. Je la détruirais. Je la connais bien, elle s'exprime peu, ne pose que de rares questions, jamais indiscrètes. Elle est très pudique. C'est la personne la plus sensible que je connaisse. Elle a raison de me conseiller de partir, de me distraire. C'est désintéressé, généreux. Ici, nous allons tomber malades tous les deux. J'ai tellement peur que ces morts nous séparent. Ensemble, nous avons vécu des années lumineuses. Je trouvais mes mots dans sa beauté, dans son silence. Ce n'est pas pour rien que je l'ai appelée un jour «la fiancée des corbeaux»… Ces oiseaux sont plus intelligents que beaucoup d'entre nous. Ils savent où est l'authentique beauté. Celle que l'on ne trouve jamais sur la première page glacée des magazines. Pour la reconnaître il faut aller très loin dans le silence, marcher longtemps vers la sagesse des corbeaux.

Avant qu'elle ne revienne, je glisse le cahier rouge sous une pile de vieux draps qu'elle ne touche jamais, dans la chambre où dormaient ses parents. Quand je suis venu vivre ici, je pensais mettre un bureau, mes cahiers, quelques livres, dans cette pièce où rien n'a bougé depuis des années. L'armoire en chêne, le couvre-lit au crochet, trois photos de famille accrochées sur la tapisserie rose, le réveil électrique qui marche toujours et les tiroirs de la commode remplis de petites boîtes de collants, de piles de mouchoirs, de ceintures et de chemises de nuit à fleurs.

Les mois ont passé, j'écris dans la cuisine. Je n'ai ni dictionnaire ni ordinateur. J'écris comme un somnambule qui marche à côté de sa vie, dans un monde de brumes que personne ne soupçonne et que je suis incapable de déchiffrer. Un

monde où les mots jaillissent d'une source inconnue, une source aussi sombre qu'inépuisable.

Avec la pointe de mon stylo, j'ai longtemps
trafiqué dans les ombres du passé, comme beaucoup d'écrivains j'imagine. Aujourd'hui, les silhouettes qui se dressent entre les pages de ce
cahier sont aussi hideuses que celles qui rôdent
sous mes paupières, la nuit, ou qui surgissent soudain devant mes yeux, au sommet d'un cerisier
que je taille.

20 mars

Isabelle n'a pas attendu qu'on m'hospitalise.
Elle a pris les choses en main. Il y a une semaine,
alors que j'avais pioché tout le jour autour des
plus vieux oliviers, au bord de la colline, et que
je rentrais éreinté – il y a plus de pierres et de
racines que de terre autour de ces arbres –, elle
m'a dit :

— Je t'ai réservé une chambre dans un hôtel
de charme, à Annecy. Une collègue de travail m'a
donné l'adresse, elle y retourne chaque année.
Elle m'a montré les photos, je serais partie tout
de suite. Toutes les chambres donnent sur un
canal, comme à Venise. Tu y vas en éclaireur, si
c'est aussi beau que ce que je crois, nous y retour-
nerons tous les deux, à Pâques ou cet été. Si je
pouvais m'éclipser demain, avec toi…

Pour la première fois depuis deux mois, je

crois que j'ai dormi sans sauter, contre la peau douce et rassurante d'Isabelle. Je me suis plaqué contre ses fesses et son dos, j'ai attrapé son sein gauche à pleine main et j'ai sombré, le nez dans le parfum de ses cheveux.

Nous avons pris le petit déjeuner ensemble et, après son départ, j'ai jeté trois affaires dans un sac et j'ai pris la route.

Dès que j'ai dépassé Sisteron, je me suis senti ailleurs. Le printemps était partout dans les champs. J'adore cette route qui grimpe entre les montagnes, vers le col de Lus-la-Croix-Haute. Elle suit longtemps une voie de chemin de fer, les rails ne brillent pas, ils sont couverts d'une rouille qui a bavé sur les pierres du ballast. Un train doit passer le matin et revenir le soir, sans se presser. Tout est si beau dans cette vallée, les villages, l'ondulation des prairies, les torrents, les troupeaux. On voudrait être pressé qu'on ne le pourrait pas.

Si beau que je me suis arrêté sur une petite aire de repos. Des gabians déchiraient le ciel de leurs cris. Ils quittent les ports pour se nourrir le long des routes, ils apportent les bruits de la mer dans ces vastes cirques de montagne.

Je me suis assis à une table de pique-nique. Quelqu'un avait écrit à la pointe du couteau : « Sandrine regarde-moi ! Kévin. » Des cœurs et des prénoms étaient gravés partout.

Les gens filent sur les routes en quête d'amour. Ils ne voient pas le paysage, ils ne voient qu'un visage. Ils gravent un sourire, un souvenir. On croit qu'ils s'arrêtent pour regarder la neige étinceler sur les sommets, ils regardent un visage, juste devant leurs yeux. Celui d'Isabelle était là, partout au-dessus des forêts.

Une rivière scintillait au loin, entre les arbres, comme le ventre d'un poisson. Les talus étaient roses de géraniums sauvages, les primevères éclairaient la lisière des bois. À cette altitude les platanes gardaient encore leurs boules pelucheuses. On pourrait rester là tout le jour, hors du monde, à écouter tinter la cloche d'une vache ou celle d'une église, dans un hameau qu'on ne voit pas.

Le petit hôtel, dans lequel Isabelle m'avait réservé une chambre, le Palais de l'Isle, était dès le seuil romantique. On y pénétrait par une ruelle bordée de belles arcades et de boutiques. Ma chambre, tout là-haut, sous les toits, donnait bien sur un canal. Ma fenêtre s'ouvrait sur une vieille prison, plantée comme un navire de pierres au milieu du canal. Sa proue, surmontée d'une tour, tranchait l'eau verte. Une petite forteresse recouverte de mousse et de lauzes grises et rouges.

Je dominais surtout l'étroite cour de promenade où auraient pu tourner Edmond Dantès ou le marquis de Sade. Un petit château d'If au milieu d'un canal. Depuis combien de temps l'avait-on désertée, remplacée par une géométrie de béton et de fils de fer barbelé, à l'écart de la ville ? Un arbre avait poussé au milieu de la cour.

Un enfant aurait pu s'évader en grimpant dans les branches.

J'ai pensé à Kader qui s'était évadé en hélicoptère, puis avec un calibre en papier. Après le col de Lus-la-Croix-Haute, pour la première fois, je l'avais oublié.

Le vieil Annecy est un dédale de ruelles, de canaux et de fleurs. Des bacs débordant de jacinthes, de pensées, de jonquilles, éclairent les balcons, les fenêtres, le bord de l'eau, chaque restaurant. Le vieil Annecy est une corbeille de fleurs au bord d'un lac.

Durant trois jours je n'ai fait que ce que m'avait dit Isabelle, j'ai flâné, regardé, me suis installé souvent aux terrasses des cafés, un livre à la main que je lisais un peu, en observant les femmes, comme je l'ai fait durant toute ma vie, dans toutes les villes que j'ai traversées. Un livre, la lumière, les femmes… Ces trois mots résument ma vie. Un rêve entre mes mains et la beauté partout.

Ici, elles déambulent par petits groupes le long des canaux. Elles sont comme la ville, gaies, colorées, légères. Elles sentent bon.

Un seul évènement est venu troubler cette paix. Je regardais l'un de ces longs bateaux blancs hérissés de touristes, le *Cygne*, s'éloigner du quai lorsque mon portable a sonné. Quelques secondes de silence… J'ai reconnu la voix traquée de Kader, lointaine… Il n'a prononcé que deux ou trois mots : « Tu es où ?… Allô… » Puis nous avons été coupés. À moins qu'il n'ait été contraint de raccrocher...

Où était-il?... Que voulait-il?... J'ai attendu une heure. Il n'a pas rappelé. J'aurais dû jeter mon portable dans le lac et regarder glisser les bateaux. Les prisons sont pleines de gens qui téléphonent trop. Dans chacune de nos poches il y a un policier.

Je suis rentré à l'hôtel, j'ai allumé la télé. Le charme d'Annecy s'était évaporé, les femmes, les corbeilles de fleurs, l'eau verte des canaux... C'était une ville semblable à toutes les villes, avec des voitures, des sirènes dans les rues et des hommes dans des chambres d'hôtel qui regardent la télé, une jambe sur le lit, un pied sur la moquette, en cherchant le sommeil sur la télécommande.

Le lendemain je suis rentré chez Isabelle. J'aurais dû être heureux de la retrouver. J'étais inquiet pour notre bonheur.

23 mars

J'ai appris l'arrestation de Kader aux informations de vingt heures, hier soir. Isabelle était dans la salle de bains. Je somnolais sur le divan, devant la télé. Le présentateur a énoncé les titres, l'un d'eux a déchiré mon ventre :

« Arrestation cet après-midi, près de Marseille, de l'un des voyous les plus recherchés de France.

Kader Hotmane s'était évadé il y a un peu plus de deux mois de la prison de Tarbes. Lors de son arrestation, l'homme était lourdement armé. »

J'ai dû attendre près d'une demi-heure avant qu'on ne reparle de Kader. L'essentiel du journal revenait sur les attentats de la veille, en Belgique, qui avaient ensanglanté l'aéroport et le métro de Bruxelles.

J'étais sur des charbons ardents. Je priais pour qu'Isabelle ne me rejoigne pas sur le divan, elle aurait tout de suite senti les dix mille volts qui traversaient mon corps.

« Comme je vous l'annonçais au début de ce journal, nous avons appris il y a une heure l'arrestation, par la police judiciaire de Marseille et la BRI, du célèbre voyou Kader Hotmane, évadé en janvier du quartier d'isolement de la prison de Tarbes. On se souvient que cet homme très dangereux avait braqué les surveillants avec une arme de poing et volé une moto à trois cents mètres de la prison. Le fugitif, fiché au grand banditisme, était connu des services de police pour une série de braquages très audacieux. Il s'était déjà évadé des Baumettes en hélicoptère, en 1992, et avait attaqué, avec un commando, la centrale d'Arles en 2002, afin de permettre l'évasion d'un membre de sa famille. L'attaque avait fait deux morts, un détenu et un assaillant. Cet homme âgé de quarante-cinq ans ne recule devant rien. Il était prêt à tout pour ne pas retourner en prison. Étrangement, il ne s'est pas servi des deux armes de poing qu'il portait à la ceinture au moment de l'arrestation. »

Jusqu'à trois heures du matin je suis resté rivé à l'écran. Les deux armes ne pouvaient être que celles de Maldera, le CZ et le Beretta. En pianotant sur BFM et iTélé, j'ai appris que Kader avait été arrêté sur le petit port de Carry-le-Rouet, en compagnie de son fils de seize ans, à qui il avait donné rendez-vous. Qu'il n'avait pas utilisé ses armes, afin sans doute de ne pas mettre en danger la vie de son fils.

La police judiciaire savait depuis le début que le talon d'Achille de ce voyou de haut vol était son fils unique. Deux mois d'écoutes, filatures et surveillance avaient permis de localiser cet homme très difficile à tracer.

Kader m'avait parlé de son fils avec un tel amour que je n'étais pas étonné. Il avait joué sa liberté pour quelques minutes avec lui. Comment aurait-il pu le mettre en danger? Tenter de résister, les armes à la main, aux côtés de celui qui était, pour lui, l'être le plus précieux, le seul peut-être.

Je revoyais les yeux de Kader, noyés de larmes, lorsqu'il avait évoqué Bryan au bord du lac, son intelligence, son bel accent, sa beauté. Kader ne s'était pas rendu, il avait protégé son fils. Il l'avait quitté en douceur. Pour combien d'années?

Au fil de la nuit, j'apprenais les détails de l'arrestation. Le plus glaçant a été les quelques rares paroles du procureur: «L'enquête qui s'ouvre révélera sans doute qui a pu aider ce dangereux voyou, atypique et solitaire, durant ces deux mois de cavale. La police le soupçonne par ailleurs d'avoir soldé des comptes avec d'anciens complices indélicats… »

Ces quelques mots, lancés au milieu de la nuit par un homme calme et si bien entouré, ont claqué comme des balles qui traversaient ma vie.

J'étais parti à Annecy pour retrouver le sommeil… Je ne suis pas allé me plaquer contre le dos tiède et doux d'Isabelle, mon anxiété aurait pulvérisé sa nuit. Je suis allé m'isoler dans la chambre de ses parents et, jusqu'à ce qu'un fil d'or dessine les contours de la fenêtre, j'ai repassé dans ma tête les paroles effrayantes du procureur.

La police tenait-elle une piste qui puisse l'amener jusqu'à moi?… Une écoute? Un témoignage? Une empreinte? Je savais que Kader ne parlerait pas. Que les policiers, le connaissant, ne tenteraient même pas de le faire parler. Il serait, face à eux, plus silencieux que l'épais mur des geôles, de la première à la dernière minute de la garde à vue. Peut-être sourirait-il parfois en pensant à son fils.

D'ici à quelques heures il retournerait pour de très longues années dans un labyrinthe peuplé d'assassins, de violeurs, de dealers, d'escrocs, de pervers, de voleurs, de psychopathes, de prédateurs et de proies, de violence et de jalousie… Un monstre de béton. La plus dangereuse des cités, la plus injuste et la plus cruelle. Une cité d'hommes et de femmes perdus qui n'ont eu que la malchance de naître du mauvais côté du mur. Le côté sombre et froid où ne se développent que les plantes qui appartiennent au mal.

Pendant des années j'avais tenté d'apporter des mots, un peu de café, quelques voyages imaginaires sur des bateaux de papier dans ces universités du crime.

À quoi avaient servi les quelques poignées de lumière que j'apportais là-bas, tous les lundis après-midi ? À me retrouver, à mon tour, devant les immenses portes de fer de la fabrique des monstres.

25 mars

Dès qu'Isabelle part pour l'école j'allume la radio, la télé, j'essaie d'attraper, dans ce bourdonnement, un nom: Kader Hotmane... Deux mots: «arrestation», «Marseille».

Est-il sorti de la garde à vue ? Dans quelle prison a-t-il été transféré ? Qu'ont obtenu de lui les policiers ?

Durant ces deux premiers jours je n'ai pas appris grand-chose de nouveau. Les médias sont obsédés par le terrorisme. La peur s'installe sur l'Europe. Chacun se demande s'il prendra le train, l'avion, le métro, ira encore au restaurant ou voir un match de foot... Attentats de Madrid,

Londres, Paris, Bruxelles… Tout le monde parle à la fois de guerre, de traque, de démantèlement. On disserte des nuits entières sur les racines du djihadisme, le mystère djihadiste, les cellules, les réseaux, les filières… On cherche partout l'homme au chapeau, le troisième individu apparu sur les écrans de l'aéroport de Bruxelles. On se tourne vers les ghettos, ces viviers de criminalité, de haine, de chômage, de trafics. On n'a jamais vu autant d'anciens policiers sur les plateaux télé. Ils posent la question de l'ordre, du droit, dans ces territoires abandonnés. Et les jeunes abandonnés de ces territoires répondent : « À quoi bon connaître le droit, il vaut mieux connaître le juge. »

Dialogues de sourds dans un fracas où les mots n'ont plus de sens. Chacun possède la vérité, tente de l'imposer, se prend les pieds dans les racines du mal.

La peur enfle, rôde, grandit. Et ce bourdonnement incessant forme un écran de fumée autour de la cavale et de l'arrestation de Kader. Les bombes terroristes ont aussi soufflé l'itinéraire sanglant et fou de Kader. Il y a un mois, il aurait fait pendant trois jours la une de tous les journaux. L'obsession de la terreur a tout balayé. Kader n'est qu'un voyou parmi d'autres voyous, quelqu'un de presque banal.

Je suis si petit, si insignifiant face à ces grondements d'apocalypse, je trouve cela rassurant. Égoïste et rassurant.

Si je regarde par la fenêtre de la cuisine, je vois le printemps. Un vol de mésanges bleues vient de s'abattre sur l'abricotier. L'abricotier est bleu. J'ai vu défiler des millions d'images sur tous les écrans, écouté toutes les ondes, et je n'ai pas vu le printemps. Je ne suis pas sorti le matin, marcher dans l'herbe tiède constellée d'or. Je n'ai pas senti dans mon corps cette force divine qui me soulève, chaque année, lorsque craque l'hiver. Envie de sortir, de courir, de me jeter sur tout ce qui est vivant.

J'ai coupé image et son. Je suis allé voir ce que j'avais écrit sur l'un de mes cahiers, il y a deux ou trois ans. Voilà ce que j'ai trouvé et que j'avais oublié dans les recoins d'une autre époque de ma vie :

Le printemps est arrivé cette nuit, il vient de passer sur la ville. Il est partout, sur les chemins, dans les collines, il bondit sur les pierres vertes des rivières, il entre dans chaque maison, se glisse dans tous les corps, fait éclater le sommeil, les rêves des jeunes filles, fait craquer les lourdes charpentes et grincer les murs. Le printemps est en train de soulever la terre. Le printemps est un barbare qui déchire les robes, s'engouffre dans les villes, saccage les citadelles de la raison. Le printemps est une cathédrale de feuillage et de désir qui surgit des ruines de l'hiver.

Le printemps est un barbare… Et si le barbare était en chacun de nous, Kader, moi, les terroristes, ceux qui les embrigadent ou les traquent, les chantres de la justice, les donneurs de leçons, les professeurs de morale?… Je n'ai pas vu venir le printemps. Le monde entier est passé à côté du printemps. Nous regardons des images de sang, nous devenons ces images.

J'écoute le long poème noir des prophètes de la mort et des semeurs de panique: temples dynamités, hommes décapités, rames de métro déchiquetées… Où suis-je dans ce poème?

Pendant quelques minutes j'ai observé, de la cuisine, les petits bonds d'une pie dans l'herbe mouillée. Brindille après brindille, elle a amassé dans son bec un véritable fagot, puis s'est envolée vers son chantier dans la colline. Prédatrice et ouvrière, comme nous, les hommes. Nous avons bâti des merveilles, nous les détruisons. C'est là, sans doute, le mystère du monde. La puissance aveugle et merveilleuse du printemps qui explose partout, sans avoir prononcé le mot «bien», le mot «mal».

8 avril

J'ai reçu ce matin une lettre de Kader. Ses nom et numéro d'écrou ne figuraient pas au dos de l'enveloppe. Quel choc lorsque je les ai découverts à l'intérieur, sous le rabat. Tous les détenus font ainsi. Prudence et pudeur. Personne ne sait d'où vient le courrier. Un pic à glace dans le cœur ne m'aurait pas fait plus mal.

S'il a décidé de me démolir lentement, il réussit.

Mon sang n'a fait qu'un tour. Je prie depuis quinze jours pour qu'il ne prononce jamais mon nom et il m'écrit...

À la première lecture, je n'ai rien compris à sa lettre. Je l'ai relue plusieurs fois, ce n'est guère mieux. Elle est trop subtile ou confuse. La voici :

Mon cher professeur,

J'ai failli écrire «mon cher René», mais après tant d'années, je n'ai pas osé. J'ai eu envie aussi de vous tutoyer, comme au bâtiment D, là aussi, les années... Vous avez eu tellement d'élèves là-bas, vous m'aviez sans doute oublié. J'étais loin d'être le meilleur... Pourtant, pendant trois ans vous m'avez apporté l'essentiel, le goût de lire. Je ne fais qu'une chose ici, je marche dans neuf mètres carrés et je lis. Je lis et je marche. La lecture agrandit les neuf mètres carrés. Tout le reste n'est que gamberge. Je fais une tentative d'homicide à chaque seconde, en essayant de tuer le temps ! Quelle phrase infecte ! Tuer le temps ! Heureusement que je lis...

Vous avez sans doute entendu mon nom un peu partout ces dernières semaines. J'ai eu envie de rattraper le temps perdu. Je n'y suis pas arrivé. Je suis de nouveau au milieu des rats.

Ce n'est pas pour vous parler des rats que je vous écris, mais d'une chose bien particulière que vous avez sans doute oubliée. Durant ces trois années au bâtiment D, vous m'aviez aidé à écrire l'histoire de ma vie, mon enfance à Marseille, la vie dans les quartiers puis les années de prison et le chagrin que j'ai fait à ma mère, à mon fils. Ce manuscrit, vous l'avez un jour apporté chez vous et je l'ai moi-même oublié. Depuis quelque temps, j'y repense. J'aimerais que mon fils, Bryan, le lise et comprenne comment j'en suis arrivé là. L'engrenage, l'injustice et Marseille, cette fabrique de criminels.

Vous m'avez dit que mon manuscrit m'attendrait dans une pièce pleine de cartons de livres et de carnets. Mon plus grand bonheur serait que vous le retrouviez et le donniez à mon fils, afin qu'il voie que son père n'est pas bon qu'à attaquer des banques et à faire souffrir. Ce manuscrit doit dormir au fond d'un carton. C'est sans doute ce que j'ai fait de mieux dans ma vie... Retrouvez-le, pour mon fils de seize ans. Si vous pouviez le rencontrer. Il n'a pas pris mon chemin, son cœur est très pur.

Voilà, mon cher professeur. À nouveau je suis au fond du trou. Je suis dans l'injustice. L'époque où vous veniez nous voir tous les lundis est loin... Plus personne ne vient me voir. Le silence est total !

Il n'y a entre ces murs que misère et ignorance. Voilà pourquoi nous sommes ici. Une déchetterie de pauvres.

Profitez bien du printemps, ici il n'y a pas une seule fleur, il n'y a même pas un peu de terre. Il n'y a que des gens méchants qui tournent dans le ciment.

Je compte sur vous.

Kader

J'ai bien dû relire cette lettre dix fois. Elle est absurde. Que signifie cette histoire de manuscrit ? Kader n'a jamais écrit une ligne. Il venait à l'atelier pour parler, rire, boire le café... Même lire... Durant ces dernières semaines, chez moi, il n'a pas réussi à dépasser le premier chapitre d'un livre. Son esprit est ailleurs. Il voyage on ne sait jamais où.

Pourtant j'ai trouvé sa lettre très belle, émouvante. Comment a-t-il pu écrire des phrases aussi fortes ? Où est-il allé chercher ces mots qui frappent juste ? S'est-il mis à lire ?... Il parle de la lecture comme quelqu'un qui s'accrocherait vraiment aux mots pour s'évader, qui franchirait les murs sur des échelles de mots. Cette évasion ne s'invente pas, elle se vit... «Je marche et je lis, je lis et je marche...» Personne n'a pu écrire ces lignes pour lui, il est seul et le sera pendant de longues années...

J'ai beau tourner cette lettre dans tous les sens, je ne la comprends pas. Enfin, je sens que Kader veut me signifier quelque chose, mais quoi?...

Sa nostalgie de l'atelier ne suffit pas. Il veut que je donne à son fils un manuscrit qui n'existe pas, dont il n'a pas écrit le premier mot... Devient-il fou? S'est-il persuadé qu'il avait écrit l'histoire de sa vie? Non, il me vouvoie très respectueusement, s'adresse au professeur, pas au complice. Cette malice cache quelque chose... Pourquoi me parle-t-il de cartons? Dans le coin de ma bibliothèque, où je range les manuscrits que je reçois parfois et tous les textes écrits par les détenus, il n'y a pas de cartons... Des cartons, il y en a jusqu'au plafond dans le minuscule réduit où il garait la moto volée, dans la ruelle derrière mon immeuble. Veut-il parler de ces cartons?

9 avril

Il parlait bien de mes cartons! Dès l'aube j'ai filé à Manosque et j'ai démonté toutes les piles de cartons qui envahissent ce minuscule box.

Kader l'avait réaménagé pour y fourrer sa moto. Il y avait encore une tache d'huile sur le sol, que j'ai eu du mal à faire disparaître.

Les uns après les autres, j'ai vidé ces cartons bourrés de bouquins que j'accumule depuis quarante ans. Beaucoup de « Série noire », des milliers de livres de poche… Comment ai-je fait pour lire tout cela ? Et tous ces philosophes ?… Époque lointaine où j'étais convaincu qu'une vérité était planquée quelque part et que notre but, sur cette terre, était de la découvrir… Et puis j'étais tombé sur Giono : « La vie est un fruit, notre rôle est de le manger, vivre n'a pas d'autre sens que cela. » Je m'étais contenté de dévorer le fruit. J'avais oublié les leçons de morale.

Après deux heures de recherches, j'étais coincé, écrasé par des montagnes instables de livres, de journaux, de manuscrits oubliés ici depuis des lustres. Je lisais le nom de l'auteur de chaque manuscrit, persuadé que nulle part je ne retrouverais celui de Kader.

Pas la moindre ligne de lui, mais dans l'un des derniers cartons, les plus engloutis sous ces pyramides de papier, dissimulée sous une liasse de revues psychanalytiques, j'ai aperçu une mallette… Nouveau coup de pic à glace en plein cœur : *la mallette*!

Il m'a bien fallu dix minutes pour oser la toucher du bout des doigts. Je suis allé jeter un coup d'œil dans la ruelle, me suis enfermé dans le box, j'ai longuement observé cette mallette comme s'il pouvait s'agir d'une bombe. C'était une bombe !

Une splendide mallette en cuir souple, brun-rouge, qui aurait pu appartenir à un médecin.

Kader m'avait parlé de deux millions et demi… Il était tout sauf mythomane. Tout étincelait dans cette mallette, colliers, bracelets, parures, montres… Je ne connais rien aux pierres précieuses mais ce que j'avais sous les yeux ne pouvait être qu'authentiques rubis, saphirs, émeraudes. Chaque pierre était couronnée de diamants. L'or était blanc, rose, jaune… Combat de lucioles contre des feux follets…

Fabuleux trésor, jeté pêle-mêle dans le chaos d'un braquage et que j'étais sans doute le premier à observer depuis qu'il avait quitté la Croisette dans le fracas et la stupeur.

Quelques mots étaient écrits sur la feuille arrachée d'un cahier :

Si tu tiens cette mallette dans tes mains, c'est que je suis retourné dans les égouts… Tu m'as prouvé mille fois que je pouvais avoir confiance en toi. Mille fois ta générosité m'a étonné. Je regrette sincèrement de t'avoir mis en danger. Une part de ce qui est sous tes yeux te revient. Tu es seul juge. Sers-toi ! Je n'aurais pas Bryan, je te laisserais tout. Donne à mon fils l'autre partie, il est un peu au courant… Où je suis je n'ai besoin que de rêves. Les plus belles bijouteries n'en vendent pas. Le seul vrai diamant, c'est la lumière.

Je t'embrasse, frère !

Tout Kader était là. Dangereux, cinglé, généreux, incontrôlable. En refermant la mallette, je savais que je ne garderais rien. Elle ne contenait que peur, mort, angoisse et folie.

J'ai enseveli cette folie sous mes tonnes de livres. Les livres… Voilà où étaient les vrais rubis, les vrais diamants, les vrais voyages. D'une certaine manière Kader l'avait compris, on ne braque pas la lumière. On la découvre, on l'invente.

11 avril

La lettre de Kader avait donc un sens… Me voilà bien avancé ! Un homme enterré dans la colline, deux millions et demi de pierres précieuses volées, sous des piles de cartons… Ma présence au cœur du printemps tient à un fil. Où est ma place sous ces explosions de fleurs, ces délires d'oiseaux, cette lumière qui jaillit soudain au milieu des orages ?

15 avril

J'étais en train de désherber les trois rangées de fraisiers, au milieu du champ, lorsqu'il m'a semblé apercevoir une silhouette se diriger vers la maison d'Isabelle, entre les branches des cerisiers. Je me suis redressé, j'ai fait deux pas de côté. Une femme blonde gravissait les marches de l'escalier qui mène à la véranda. Je me suis approché. Elle venait de sonner et attendait.

— Vous cherchez quelqu'un ?

Elle s'est retournée et est descendue vers moi.

— Isabelle n'est pas là ?

— Elle est à l'école.

— Vous m'avez fait sursauter.

— Excusez-moi, j'étais dans le jardin.

— Je suis la voisine d'Isabelle, la petite maison blanche derrière les arbres, dans le virage.

— C'est vous l'infirmière ?

— C'est moi… Je venais demander un petit service. Mon chaton de trois mois a grimpé dans l'un de vos chênes, là-bas, il ne peut plus redescendre, il crie depuis une heure. Vous n'auriez pas une échelle ?

— Petite ou grande ?

— Grande… Il est assez haut. C'est un casse-cou.

— Je vais chercher la clé du hangar. On va récupérer l'intrépide.

J'ai chargé sur mon épaule la longue échelle de bois que j'utilise pour monter sur le toit, lorsque j'aperçois une tuile cassée.

Je l'ai appuyée contre le tronc du chêne. À quatre ou cinq mètres de hauteur, tétanisé sur une branche maîtresse, le poil hérissé de frayeur, un chaton blanc, aux oreilles et à la queue rousses, braillait.

— Je vais y aller, m'a dit l'infirmière, il ne vous

connaît pas, il risque de filer encore plus haut. Il ne voit que moi depuis qu'il est né.

Elle s'est aperçue qu'elle était en robe et que j'allais tenir l'échelle... Un sourire gêné et malicieux a éclairé son visage.

— Oui, allez-y... Les hommes craignent moins le vertige.

— De quel vertige parlez-vous?...

Son rire était lumineux. Les jolies dents de femme me troublent toujours.

Le chaton avait plus peur du vide que de moi. Je lui ai dit quelques mots et je l'ai empoigné par la peau du cou. Toutes ses petites griffes étaient plantées dans l'écorce dure du chêne. Il a ouvert grand sa bouche, un long miaulement rauque s'en est échappé. Je l'étranglais un peu.

C'est en l'arrachant que j'ai aperçu, à l'autre bout du champ, derrière la haie de lauriers-amandes, un homme. Immobile, il nous observait. Que faisait-il, à onze heures du matin, sur cette route où si peu de gens passent...? Ses yeux étaient braqués sur nous. Je suis redescendu en me tenant d'une seule main. L'infirmière blonde m'a chaleureusement remercié. Le chaton serré sur sa poitrine, elle m'a invité à venir boire un verre chez elle.

— Je vous ferai goûter mon vin d'orange de l'année. Je ne l'ai jamais aussi bien réussi. C'est bête, quand je suis seule je n'ose pas en boire.

— Un autre jour, très volontiers, il faut que je prépare quelque chose pour midi, Isabelle n'a qu'une heure avant de reprendre le travail. Je ne sais même pas ce que nous avons dans le frigo.

Je pensais à cet homme. Je n'avais qu'une hâte, retourner à la maison et l'observer à travers les rideaux.

— Je suis ravie de vous connaître, m'a lancé l'infirmière en s'éloignant, Isabelle m'avait passé l'un de vos livres, j'ai mille questions à vous poser. Vous avez beaucoup d'imagination, ou vous avez eu une drôle de vie…

Blotti contre elle, le chaton ronronnait déjà. En un instant, il venait de faire le tour de la vie : la peur et la douceur de l'amour.

Je suis rentré, j'ai pris les jumelles sur le buffet et, à travers la fumée du léger rideau, j'ai réglé la molette.

L'homme était toujours là. Beaucoup mieux vêtu que les rares paysans qui empruntent cette route pour gagner leurs étroites parcelles d'oliviers, grignotées par les ginestes, les yeuses et les genévriers, et les quelques vieillards du village qui montent chercher le soleil, dans leurs vestes aux épaules fanées par les saisons. Ceux-là font halte à mi-côte, sur le banc de pierre que la mairie a installé pour eux. Ils s'assoient, s'appuient sur leurs cannes et regardent les collines où ils ont passé leur vie à traquer le gibier, les champignons et la liberté.

En déplaçant légèrement les jumelles, j'ai repéré une longue voiture grise, dissimulée sous un bosquet d'érables. J'ai imperceptiblement écarté le rideau, ma vision a été plus nette. Un autre homme se tenait au volant, aussi immobile que le premier… L'éclat du soleil dans le pare-brise occultait son visage. Sans doute une Peugeot, aux jantes étincelantes. Non, ils n'étaient pas d'ici. Mais alors ?…

Beaucoup de gens avaient des raisons de m'observer… La police d'abord et les amis de ceux que Kader avait abattus, Mario le ferrailleur, Maldera, peut-être d'autres… Comment ceux-là étaient-ils arrivés jusqu'à moi ?

Depuis des mois je redoutais cet instant. Tout en travaillant, je n'avais cessé de scruter les limites du terrain d'Isabelle, l'orée des bois, les chemins qui en surgissent. Je me redressais au moindre bruit de moteur, me réveillais la nuit en sueur.

En sueur, je l'étais brusquement, de la tête aux pieds, et ce n'était pas un cauchemar. Deux hommes bien réels m'observaient. Ils n'avaient pas le moins du monde des allures de touristes ou de notaires évaluant des parcelles. S'ils étaient là, c'était parce que Kader et moi étions liés.

Étaient-ils venus pour récupérer la mallette ? Pour m'éliminer ?… L'un ne pouvait pas aller sans l'autre. Si ces hommes étaient bien là pour ce que je redoutais, ils ne reculeraient devant rien. Que représentait ma vie face à la valeur de cette mallette, à leur haine pour Kader ?

Sans réfléchir, j'ai décroché le calibre 12 du père d'Isabelle. J'ai glissé une cartouche dans chaque canon et en ai fourré quatre autres dans

156

ma poche, après avoir vérifié que ce n'était pas pour les grives mais pour le gros gibier. Ce n'était pas du gibier qui m'attendait dehors mais d'implacables chasseurs. Des tueurs aussi froids que Kader. La crosse en noyer poli glissait entre mes mains trempées.

Je ne savais pas trop ce que j'étais en train de faire. Je bougeais pour ne pas laisser la peur envahir tout mon corps. Oui, bouger, sortir, les affronter s'il le fallait. Tout sauf attendre, terré et tremblant derrière un rideau.

Je suis descendu à la cave et, par la petite porte de derrière, je me suis glissé dehors. Dissimulé par les oliviers, au-dessus de la maison, j'ai gagné la forêt. En faisant un grand détour, par un minuscule sentier que j'emprunte souvent, je pouvais déboucher juste dans leur dos. Il fallait que je les voie de près, que je les entende, peut-être, échanger quelques mots. Ensuite…

Dès qu'on se met en marche, on a moins peur. Je serrais dans mes mains cette arme redoutable de Saint-Étienne. Je filais vite et silencieusement sur les feuilles pourries de l'hiver. J'avais affaire à des gens de la ville. J'étais devenu un homme des bois. Ici, j'étais chez moi, aussi à l'aise qu'un arbre ou qu'un caillou, aussi léger et prudent qu'un oiseau. Plus discret que la respiration des collines.

Lorsque je suis parvenu au-dessus de la route, où ils attendaient, j'ai retenu et mon pas et mon souffle. Vingt mètres me séparaient de leur position. Une légère rumeur montant du village me protégeait, le bruit lointain d'une pelle mécanique ou d'un tracteur...

Je me suis avancé jusqu'aux derniers feuillages d'un pistachier. J'ai étiré mon cou, à droite, à gauche... Ils avaient disparu. Plus de voiture grise, sous le bouquet d'érables. Ils avaient filé.

J'ai juste eu le temps de retirer les cartouches et de raccrocher le fusil, Isabelle débouchait du chemin sous les amandiers. Midi sonnait.

— Tu as l'air bizarre, m'a-t-elle lancé en entrant dans la cuisine, son cartable rouge à la main. Tu nous as préparé quelque chose?

J'ai enfoui ma tête dans le frigo.

— Non, je rentre à l'instant, je suis allé récupérer un chat, dans le gros chêne là-bas au bout.

— Un chat?

— Le petit chaton blanc de l'infirmière qui habite dans le virage, il ne pouvait plus redescendre. Il n'a que trois mois.

— C'est le chat ou l'infirmière qui te met dans cet état? Il t'en faut peu, tu as vu ta tête?... Tu devrais te distraire un peu plus, on dirait que tu arrives de la planète Mars.

Elle me souriait avec bienveillance.

— Croque-monsieur, ça te va?... Avec un reste de mâche?

Bienveillant et merveilleux le sourire d'Isabelle, dans un visage éclairé par le printemps.

— Vous avez parlé un moment?... Elle est très cultivée. Elle travaille quinze jours jusqu'à la nuit, les quinze suivants elle lit, ses chats sur les genoux. Elle en ramasse partout, de toutes les couleurs. Elle dort sous les livres et les chats...

— On n'a presque rien dit, elle ne pensait qu'à son chat, qu'elle serrait très fort sur sa poitrine, qui est presque aussi belle que la tienne.

Son rire aussi était plus beau et clair que celui de sa voisine. Difficile d'éveiller chez elle la moindre brume de jalousie. La poitrine de l'infirmière m'avait permis de dissimuler l'inquiétude profonde qu'avait installée en moi la présence de ces deux hommes à l'affût, de cet immense danger, immobile à l'autre bout du champ. Ce devait être moins dangereux d'aller passer quelques jours sur la planète Mars.

18 avril

Durant les trois jours qui ont suivi, je n'ai pas mis le nez dehors. Dès qu'Isabelle partait à l'école, je verrouillais chaque porte et n'ouvrais que lorsque je l'apercevais plus bas, sous les amandiers, à midi et au milieu de l'après-midi.

Je glissais deux cartouches dans le fusil, que je retirais à son retour. Le clocher du village laissait tomber ses gouttes de bronze toutes les demi-heures. J'allais d'une fenêtre à l'autre, de la cuisine au salon, du salon aux chambres. À travers les rideaux j'épiais chaque haie, chaque tronc d'arbre, le moindre arbuste, les ombres autour du hangar et celles plus épaisses sous la cathédrale de feuillage des chênes. La nuit je dormais peu, respirais à peine, c'était comme si mes oreilles avaient été dehors, à tourner dans le jardin jusqu'à l'aube. Il me semblait parfois entendre le vol noir de grands oiseaux funèbres, contre les murs de la maison et du vieux pigeonnier.

Je ne pensais pas que ces hommes allaient m'abattre, comme ça, par vengeance. Ils étaient sur la piste des bijoux volés et j'étais le seul début de trace. Ces gens qui avaient sans doute connu la trahison, le crime et la prison étaient prêts à tout, ils me tortureraient pour obtenir ce qu'ils cherchaient, ils avaient dû torturer pour beaucoup moins que ça. Je connaissais les quartiers d'où ils venaient, j'y avais grandi, une fabrique de loups. Des loups affamés de tout ce qui brille et qu'excite le sang.

Le terrain d'Isabelle est très difficile à surveiller, il n'y a aucune clôture et, depuis que son père est mort, c'est comme si la colline essayait d'entrer dans ce qui jadis avait été une vigne, un petit verger, un carré de haricots ou de melons. Si je reste un an sans débroussailler, la colline est chez elle, prête à entrer dans la maison.

19 avril

Il n'était pas neuf heures, ce matin, lorsque mon portable a sonné.

Depuis le départ d'Isabelle pour la maternelle, j'avais repris mon balai obsessionnel d'une pièce à l'autre, d'une fenêtre à l'autre… Le soleil se lève, côté salon, je ne sais pourquoi, j'avais l'intuition qu'ils arriveraient par là, peut-être bêtement parce que la lumière allume d'abord cette façade et que tout s'éveille, scintille, sautille et s'ébroue de ce côté… La vie, comme le danger, devait surgir de l'est.

Je ne connaissais pas le numéro qui venait de s'afficher. Une voix d'homme prononçait mon nom.

— Oui?

— Capitaine Thalès à l'appareil, officier de police judiciaire.

— Thalès?

— Comme le théorème.

— Oui…

— J'aimerais vous entendre, comme témoin.

— Témoin de quoi?

— Dans le cadre d'une enquête concernant un certain Kader Hotmane. Vous connaissez cet homme?

— En quoi cette enquête me concerne-t-elle?

— Elle vous concerne.

— Je suis très occupé, je termine un roman, j'ai trois mois de retard, je ne peux pas me permettre…

— Si vous ne venez pas, a-t-il coupé, nous délivrerons un mandat. Je serai contraint de venir vous chercher et de vous mettre en garde à vue.

Ça compliquera la procédure pour vous. La preuve que vous refusez de coopérer.

J'étais très tendu, très anxieux, et cependant quelque peu rassuré. Tout allait très vite dans ma tête. L'homme immobile derrière la haie de lauriers-amandes, l'autre dans la voiture grise, c'étaient peut-être eux… Des policiers… Ils étaient venus se rendre compte, maintenant ils voulaient m'interroger. Le danger n'était sans doute pas aussi terrifiant que je l'avais imaginé. Je n'avais pas affaire à des psychopathes, prêts à me faire parler à coups de marteau ou la tête serrée dans un étau, au fond d'une cave.

— Vous voudriez que je vienne quand ?

— Disons demain matin, neuf heures… C'est une enquête importante, urgente… Une affaire très grave.

— Pourquoi très grave ?

— Venez demain, vous le saurez.

— Où ça ?… Vous m'appelez d'où ?

— De l'Évêché. Demandez le capitaine Thalès, à la barrière. J'enverrai quelqu'un.

— Je pourrai repartir à quelle heure ?

— Ça, nous verrons bien. Ça dépendra de vos réponses à nos questions. Ça dépendra de beaucoup de choses…

Je l'entendais penser. Je ne l'avais jamais vu et je voyais son visage, son regard, comme s'il avait été devant moi.

Le capitaine Thalès n'avait rien d'un théorème. Plus grand que moi, solide, le crâne rasé, en jean et chemise claire à manches courtes. Il me précédait dans un labyrinthe de couloirs. Nous avons gravi de vastes escaliers, nous en avons descendu de plus étroits et vieux, pour aboutir dans une pièce austère meublée de deux bureaux et d'armoires métalliques.

Trois autres policiers nous attendaient, assis sur les bureaux ou appuyés contre le mur, un journal à la main. Tous portaient des tee-shirts sombres. Le plus âgé n'avait pas quarante-cinq ans.

Le capitaine Thalès s'est installé devant son ordinateur, a consulté la carte d'identité que je lui avais donnée à l'entrée de l'Évêché, et sans me regarder m'a désigné une chaise, face à lui. Il m'a demandé si mes nom, prénoms, adresse et date de naissance étaient bien ceux inscrits sur la carte. Il a commencé à taper. Les trois autres, dans mon dos, s'étaient tus. Ils devaient m'observer.

Le capitaine Thalès n'était pas homme à faire des phrases inutiles. Sans quitter l'écran des yeux, il m'a dit :

— Kader Hotmane vous a écrit une lettre, que nous avons lue. Il n'écrit à personne... Il y a trois mois il s'est évadé d'un quartier d'isolement, avec une arme. Nous pensons que vous l'avez rencontré après cette évasion… (Il a marqué un long silence puis il a ajouté :) L'avez-vous rencontré ?

Que faisaient les trois costauds, dans mon dos ? Je les avais entendus replier le journal, le jeter sur le bureau. Depuis, pas un souffle.

— Il y a des années que je n'ai pas revu Kader. Il a été mon élève, aux Baumettes, pendant trois ans. Un beau jour il a été transféré je ne sais où et brusquement, il y a quelques jours, cette lettre.

J'ai plaqué fermement mes mains sur mes cuisses, afin qu'elles ne se fassent pas trop remarquer.

— Vous êtes *certain* qu'il n'est pas venu vous voir ces derniers mois ?

Il avait relevé la tête et ses yeux très clairs fouillaient les miens.

— J'ai oublié son visage. Je me souviens d'un homme souriant, vivant. J'ai été étonné par la qualité de sa lettre, il a dû beaucoup lire pendant toutes ces années… J'espère que mes ateliers d'écriture y sont pour quelque chose.

— Il est au secret et il avait votre adresse…

— N'importe quel surveillant ou assistante sociale peut la lui avoir donnée, je suis dans l'annuaire et, à Manosque, tout le monde me connaît. Certaines lettres m'arrivent avec seulement mon nom et celui de la ville. Presque tous les détenus qui ont fréquenté mes ateliers m'écrivent, c'est la preuve que ma présence en détention les a marqués.

— Il vous demande un manuscrit qu'il aurait écrit… C'est moi qui ai arrêté Kader Hotmane, après l'attaque de la centrale d'Arles. Je ne l'imagine pas capable d'écrire un roman… Qu'est-ce que c'est, cette histoire de manuscrit ?

J'étais face à un policier qui n'était pas qu'une masse de muscles. Pourtant ce sont ses bras qui m'impressionnaient, épais, ils étaient recouverts de tatouages bleus. Cet homme, appuyé au comptoir de n'importe quel bistrot de Marseille, serait passé pour un voyou. Peu de voyous possédaient son intelligence.

— Vous vous souvenez d'un homme vivant, souriant… Kader Hotmane a attaqué une prison, s'est évadé d'une autre, les armes à la main. C'est un homme très dangereux… Nous le soupçonnons d'avoir profité de cette évasion pour régler quelques comptes récemment, des assassinats de sang-froid qui lui ressemblent… Les actes solitaires d'un homme aux abois, prêt à tout. Nous voulons savoir qui l'a aidé, dans sa cavale… Je vous repose la question, l'avez-vous aidé ?

Savait-il quelque chose ? Son regard était aussi perçant qu'énigmatique. L'idée qu'on se fait d'un joueur de poker. J'étais devant un mur de granit, percé de deux trous bleus. Ce n'était pas le moment de faire le malin. Pourtant j'ai dit quelque chose d'étrange qui me permettait de gagner du temps. J'ai dit n'importe quoi.

— La doyenne de l'humanité a cent dix-sept ans. Vous connaissez son secret ?

Il a froncé les sourcils et s'est penché en arrière.

— Je sens que vous allez me le dire.

— Son secret, c'est qu'elle n'a pas de secret.

— Quel rapport?

— J'aimerais bien atteindre cent dix-sept ans. C'est une Italienne qui mange n'importe quoi, dit n'importe quoi, mais elle fait la sieste.

Il a regardé tour à tour ses trois collègues.

— Je n'ai pas envie qu'un secret me pourrisse la vie, qu'un secret pourrisse dans mon corps. Mon métier est d'inventer des histoires, pas de les vivre. La sieste, je veux la faire tranquillement. Les aventures, je les vis dans mon cahier, un stylo à la main.

Il était un peu décontenancé. Il s'est dressé, a fait deux pas vers moi.

— Qu'allez-vous chercher dans les prisons, monsieur Frégni? Des émotions fortes?... L'inspiration?...

— Ce que j'y ai trouvé, monsieur Thalès. À dix-neuf ans j'étais dans une prison militaire, un brave aumônier m'a apporté des livres. J'ai découvert la lecture, moi qui avais été viré de tous les lycées de Marseille. Pendant six mois, dans cette cellule, j'ai lu. L'aumônier continuait à m'apporter, chaque semaine, des vieux livres qui partaient en lambeaux, rongés par l'humidité de cette prison dans la Meuse. Je suis devenu écrivain grâce à ces lambeaux de livres. J'ouvrais un livre, le matin, et c'est comme si l'aumônier m'avait donné les clés de la prison, je partais en voyage… Voilà ce que je vais faire depuis vingt ans dans les prisons, j'apporte les clés et personne ne s'évade… Personne ne naît monstrueux, monsieur Thalès, ce sont certains quartiers et les prisons qui nous rendent monstrueux. Je ne leur apporte aucune arme, je leur apporte des mots. Je leur apporte ce qu'ils n'ont jamais eu. Si Kader n'était pas venu dans mon atelier d'écriture, pensez-vous qu'il aurait écrit une lettre comme celle que vous avez lue ? J'ai cherché son manuscrit partout. J'ai démonté tout mon bureau. J'ai passé une matinée à feuilleter les centaines de manuscrits que je reçois des prisons et de partout, depuis plus de vingt ans. Je n'ai pas trouvé trace de ce manuscrit. Pourtant il l'a bien écrit… Ce n'était pas très bon, je l'avoue, mais je l'ai tenu entre mes mains. J'ai tout démonté. Il a disparu. Je l'ai sans doute jeté à la poubelle et je le regrette. Ce manuscrit, je me rends compte que c'est la dignité de Kader. Le regard que son fils portera sur lui. Je me souviens qu'il disait à son fils, maladroitement, qu'il n'était pas une brute et qu'il l'aimait plus que tout.

Le capitaine Thalès a posé l'une de ses fesses sur le bureau.

— Cet aumônier vous a marqué, vous voulez lui ressembler. C'est louable, monsieur Frégni, mais vous avez affaire à des fauves. Kader, comme vous l'appelez, est capable de tout pour s'évader, pour se venger, pour survivre. Il aime son fils, c'est vrai, mais c'est une brute, l'un des hommes les plus dangereux que j'aie croisés... On me paie pour traquer les fauves, pour protéger les gens comme vous. Vous croyez aux mots, je crois à l'ordre, à la fermeté. Ces gens ne comprennent qu'une chose : une force supérieure à la leur. Ils vivent dans la jungle, ils appliquent sa loi.

— Je ne suis ni un saint ni un prêtre, monsieur Thalès, je vais dans les prisons pour comprendre les hommes, comprendre qui je suis, écrire des livres vrais, « Quand la littérature s'éloigne du mal elle devient ennuyeuse », cette phrase n'est pas de moi, elle est de Georges Bataille. Je vais dans les prisons pour comprendre tout ce qu'il y a de monstrueux en moi, en vous, monsieur Thalès, qui représentez l'ordre. Les hommes qui sont autour de nous, ce matin, dans ce bunker de l'ordre, sont les mêmes que ceux qui tournent entre les murs des Baumettes, ils ont fait les bonnes rencontres aux bons moments, c'est tout.

Le capitaine Thalès est retourné s'asseoir devant son ordinateur. Il m'a longuement observé sans remuer lèvres ni paupières, les mains posées à plat sur le bureau. Son énorme chevalière aussi aurait pu être celle d'un voyou. Lancée à grande vitesse sur ses doigts de corde, elle devait être capable de vous enlever une dizaine de molaires. Il s'est un peu balancé sur les deux pieds arrière de sa chaise, puis il m'a dit :

— Ce n'est pas tous les jours que j'ai en face de moi quelqu'un comme vous. Je ne sais pas jusqu'où je dois vous croire, mais j'ai horreur des gens tordus. Dans ce bureau, depuis des années, j'ai vu défiler des hordes de menteurs, de psychopathes, de pervers. J'ai passé un bon moment avec vous… Méfiez-vous, avec moi vous ne risquez que la prison. Avec les ennemis de Kader, vous risquez votre vie. J'espère que vous ne me cachez rien, ceux dont je vous parle n'écouteront pas vos discours, ils ont grandi dans la haine, les mains couvertes de sang… Je vais vous laisser mon numéro, si vous avez oublié de me dire quelque chose ou si vous apprenez quoi que ce soit, appelez-moi. Je suis capable de vous jeter en prison, je peux aussi vous sauver la vie.

Il s'est adressé à l'un des trois hommes qui n'avaient pas respiré depuis le début de l'interrogatoire.

— Christian, raccompagne M. Frégni.

Il m'a tendu ma carte d'identité et sa carte de visite, mais ne m'a pas serré la main.

J'allais sortir lorsqu'il a ajouté :

— Ici vous étiez en sécurité, dans ce bunker comme vous dites. Dès que vous aurez franchi cette porte, vous ne serez plus propriétaire de votre vie. Dites-vous bien que si je suis arrivé jusqu'à vous, les truands n'auront aucun mal à le faire. Ils sont dans les prisons, ils sont ici, ils sont dans chaque rue. Ils sont partout. Cette lettre dont nous avons parlé, ils la connaissent par cœur, sans l'avoir lue. Ils paient très cher les surveillants et certains d'entre nous, c'est leur métier. Quand ils n'achètent pas les gens, ils les tuent.

J'ai fait trois pas dans le couloir et je suis revenu.

— Excusez-moi, capitaine, hier il m'a semblé apercevoir deux hommes. J'étais en train de travailler dans un champ. Deux hommes et une belle voiture grise, c'était vous ?

— C'était nous.

— Vous ne ressemblez pas à des cultivateurs de fraises ou de melons.

Pour la première fois, il a souri.

— Vous, vous grimpez dans les arbres pour séduire les femmes en cueillant des petits chats…

Je lui ai rendu son sourire.

Je suis remonté dans ma voiture et je suis sorti de Marseille avec cette phrase dans la tête : « Quand ils n'achètent pas les gens, ils les tuent… » Mes yeux étaient plus souvent collés au rétroviseur que rivés à la route. Comment repérer une voiture dans ce fleuve ininterrompu ?

Les complices de Maldera et du ferrailleur étaient bien plus dangereux que ce capitaine Thalès, lucide, intelligent, si calme. Je devais me débarrasser au plus vite des bijoux. Qu'en faire ?… Les jeter ?… Les déplacer ?… Ça n'empêcherait pas ces malades mentaux de me torturer puis de me balancer dans le premier canal.

Sur le petit mot glissé dans la mallette de cuir, Kader avait écrit : « Sers-toi ! Donne à mon fils l'autre partie, il est un peu au courant… » Cette mallette ne contenait qu'angoisse et terreur. Ces kilos d'or, de diamants, de rubis n'étaient que du sang. Comment pouvait-il penser que j'en garderais une partie… J'allais tout donner à son fils et disparaître, filer me cacher n'importe où et attendre. Laisser Isabelle hors de ce cauchemar. Oui, fuir le plus loin possible, me terrer et garder le silence.

Quelle notion du temps avait donc cette horde avide qui pouvait attendre vingt ans dans l'ombre d'une cellule et, aussitôt dehors, se remettre sur la première piste d'or ou de sang…

Après Aix j'ai quitté l'autoroute. La circulation n'était pas plus fluide sur la départementale, impossible de repérer d'éventuels suiveurs. Si, comme l'avait sous-entendu le capitaine Thalès, les truands avaient aussi des oreilles et des yeux dans le labyrinthe très secret de la PJ de Marseille, n'importe lequel d'entre eux pouvait être, à cet instant, à mes trousses. Deux millions et demi de pierres précieuses…

Je me suis souvenu d'une minuscule route qui contourne par les collines le pont Mirabeau, le village de Jouques puis les trois maisons de Bèdes. Cette merveilleuse petite route, bordée de buis taillés par des mains anonymes, était entièrement déserte. Je me suis arrêté deux fois. Non, personne ne me suivait. J'étais seul au milieu du printemps qui chauffait les collines et mon corps glacé de peur.

J'ai retrouvé la départementale à Saint-Paul-lez-Durance. Il n'était pas midi lorsque je suis entré dans Manosque.

La clé du petit box est dans ma boîte à gants. Je me suis garé près du conservatoire de musique.

J'ai démonté toutes les piles de cartons après m'être enfermé dans l'étroite pièce. La mallette en cuir rouge était toujours là, écrasée sous des milliers de livres. Sans l'ouvrir, je l'ai jetée dans un sac-poubelle, comme si elle avait été remplie de serpents.

J'ai vérifié que personne ne m'attendait dehors. Il m'a fallu une poignée de secondes pour balancer le paquet noir dans le coffre de ma voiture et filer.

Il était près de deux heures lorsque je me suis garé sur le parking du lycée Paul-Langevin, à Martigues, dans lequel Bryan étudiait, brillamment m'avait dit Kader, les yeux mouillés de fierté et d'émotion. Il avait même eu du mal à achever ses phrases, en évoquant ce fils tant aimé.

Le plus difficile était maintenant de le trouver, dans ce flot de jeunes qui entraient et sortaient. Kader m'avait dit qu'il était très beau. Je les regardais aller par petits groupes, se bousculer, rire, ils étaient tous très beaux…

Ils mangeaient des sandwiches, fumaient, s'embrassaient. Deux garçons se sont arrêtés près de ma voiture pour consulter quelque chose sur leur smartphone. Je suis sorti et je leur ai demandé s'ils connaissaient Bryan Hotmane, un élève de seconde. Ils m'ont fait signe que non, sans me regarder. Ce qu'ils scrutaient sur leur écran était tellement plus captivant.

Je me suis approché d'un petit groupe de lycéens qui jouaient à s'étrangler. Je leur ai posé la même question.

— Bryan…, a répété une délicieuse petite blonde, qui aurait été sélectionnée tout de suite dans *Plus belle la vie*. C'est mon voisin, à Carry, il sort à trois heures. Regardez, son scooter est là-bas… Le blanc.

Elle était tellement jolie que tous les garçons se bousculaient pour l'étrangler. Ils ne m'avaient même pas regardé.

Je suis remonté dans ma voiture et je n'ai plus lâché des yeux le scooter blanc.

J'allais donner deux millions et demi à un gamin de seize ans… Que pouvait-il en faire ? Difficile à cacher. Impossible à écouler. Autant lui accrocher une cible dans le dos. Sans doute que son père lui ferait parvenir des consignes, plus tard, du fond des quartiers de sécurité où il avait recommencé à attendre et à moisir. Cela ne me regardait plus, j'exauçais les derniers vœux de Kader et je disparaissais.

Pendant un moment le parking a été très calme, puis les cris ont repris, les embrassades et les étranglements. Le bonheur était là, aussi jeune que le printemps, pas dans mon coffre.

Un lycéen a posé un casque sur la selle du

scooter blanc. Ça ne pouvait être que lui. Je me suis approché.

— Tu es le fils de Kader?... Bryan?...

Son visage s'est fermé. Il a regardé tout autour de lui.

— Ne crains rien, Bryan, je ne suis pas flic, je suis l'ami de ton père.

Il m'a détaillé, de la tête aux pieds.

— L'écrivain?

— Il t'a parlé de moi?

Tous ses traits se sont adoucis.

— Il vous aime beaucoup.

— Il te l'a dit?

— Je l'ai compris. Il se méfie de tout le monde... Il s'est battu comme un chien depuis qu'il est né. Il a confiance en vous... Des gens comme vous, il n'en a jamais rencontré. Il a passé sa vie avec des assassins, des traîtres, des balances. Je ne vous imaginais pas comme ça.

— Tu m'imaginais comment?

— Plus... écrivain.

— Je ne ressemble pas à une balance quand même?

Il a éclaté de rire.

— Ils l'ont mis où ton père?

— À l'isolement, aux Baumettes. Sur le toit du D. Il y est déjà resté des années.

— Tu peux aller le voir?

— J'attends l'autorisation du procureur, ça peut prendre encore quinze jours. Ils ne peuvent pas me la refuser. Ils hésitent… Ils l'ont serré à cause de moi.

— Avec n'importe qui, il se serait défendu, il aurait tiré. Il t'a protégé. Tu lui as sauvé la vie. Où voulais-tu qu'il aille ? Il n'a que toi. Ils l'auraient abattu.

Une lycéenne s'est approchée de nous.

— Tu peux nous laisser, Camille ? Je t'appelle ce soir.

La jeune fille m'a observé un instant, intriguée, presque agressive. Elle a esquissé une légère moue de dépit et a poursuivi son chemin.

— Si on veut parler il faut aller ailleurs, m'a dit Bryan, on est déjà repérés. Je suis connu ici, il y a eu tous ces journaux, les photos de mon père… Vous êtes en voiture ?

— Elle est là… Je t'ai apporté quelque chose, Bryan, de la part de ton père.

— Je sais, il m'en a parlé… Vous l'avez là ?

— Dans le coffre. Ce n'est pas facile à cacher et c'est plus dangereux qu'une bombe.

— On va le planquer. Dès que j'aurai le parloir mon père me dira ce qu'il faut faire. Il connaît encore du monde dehors, si on peut appeler ça du monde… Si ça peut m'aider à le soutenir en prison, qu'il puisse au moins cantiner. Il a encore de belles dents, je ne voudrais pas qu'il les perde.

Ce gamin était plus mûr que sa tenue et son scooter ne le laissaient paraître. La vie qu'il avait menée l'obligeait à penser vite, à réagir vite, à comprendre vite. Kader avait raison, son fils était très intelligent.

— J'y ai déjà réfléchi, je sais où on va le mettre. Vous allez me suivre. Ne soyez pas étonné si on se balade un peu, vous êtes peut-être suivi.

Oui, Bryan était sans doute beaucoup plus cultivé que son père, il avait hérité de lui toute la vivacité, l'intuition, la même étincelle dansait dans ses yeux très noirs. Camille ne devait pas être la seule à être folle d'amour pour lui. Brillant en classe et si différent des autres… Un homme déjà, prêt à livrer bataille. À son âge, les autres garçons n'étaient que des bébés naïfs et vulnérables, si peu séduisants, vautrés sur un divan, devant leurs jeux vidéo et leur bol de corn flakes.

Nous avons emprunté une toute petite route. L'après-midi était limpide, l'air sentait le chèvre-feuille et le pétrole.

Après Saint-Julien-les-Martigues, nous sommes entrés dans une épaisse forêt. « Bois de Château-neuf », annonçait un panneau. J'ai pensé que nous allions enterrer sous les feuillages la mallette rouge.

Bryan a fait demi-tour et, d'un geste de la main, m'a invité à faire de même. Il n'était venu jusque-là que pour s'assurer que nous étions bien seuls. Nous l'étions.

Depuis le matin je tournais et retournais dans toutes les collines perdues de Provence et je n'avais vu que des morceaux de routes, encombrées ou désertes, dans mon rétroviseur.

Il a encore valsé devant moi avec beaucoup de grâce, dans les ruelles en pente de Carry-le-Rouet. Et alors que je me demandais si ce cirque s'arrêterait un jour, il a stoppé devant un cimetière, chemin des Diligences.

— On va les planquer là-bas, m'a-t-il dit.

J'ai pris le sac-poubelle dans mon coffre et nous sommes entrés dans le cimetière. Les tombes escaladaient la colline vers un bois de pins qui dissimulait quelques belles villas. Nous avons longé deux allées, gravi quelques marches sous des cyprès et Bryan, après avoir scruté les tombeaux les plus écartés, m'a dit :

— C'est là.

Nous étions devant une petite chapelle funéraire blanche, semblable à toutes celles qui brillent au-dessus de la mer, près du moindre petit village du Péloponnèse où j'étais allé presque chaque été durant ma jeunesse. De minuscules cimetières où l'on s'assoit pour regarder la mer, paisibles et rassurants. La mort y semble aussi douce que les collines d'oliviers et la lumière.

Bryan a un peu bataillé pour ouvrir une lourde porte en fer forgé dont les gonds, sans doute rouillés, ont poussé un beuglement sinistre.

— Personne n'est venu ici depuis longtemps. Rien n'a bougé.

— Tu es déjà entré là-dedans ?

— C'est ici qu'on planquait tout avec les copains, quand on était minots. Des petits trucs qu'on volait, des secrets... Elle est abandonnée, personne ne vient jamais.

Des vases brisés jonchaient en effet le sol, carrelé de bleu et de noir. Des fleurs artificielles étaient répandues partout. Un crucifix cassé pendait de travers au mur.

Il s'est avancé vers un petit autel, au fond de la chapelle, s'est accroupi et a tiré vers lui une dalle de marbre. Elle a résisté, bougé, cédé, grincé, glissé, libérant une sombre cavité.

Il m'a pris le sac-poubelle et, sans en vérifier le contenu, l'a tassé dans le trou facilement. Il a repoussé la dalle, y a déposé dessus quelques éclats de terre cuite, trois fleurs en plastique, et nous sommes sortis.

Immense et sans rides, la mer étincelait devant nous.

Chemin des Diligences... Pour cacher un trésor, difficile de trouver mieux. Même les pires situations inventaient leurs malices. Avant que je remonte en voiture, il m'a dit :

— Dans quelque temps je le changerai de place... Mon père sera heureux que je vous aie parlé. Il voulait tellement que je vous rencontre. Il est très fier de vous connaître. Il vous appelle « mon ami l'écrivain ».

— Il ne parlait de toi à personne, pour ne pas te salir. Tu es trop précieux pour lui. Je crois qu'il n'a jamais aimé quelqu'un aussi fort. Il n'en a pas eu le temps. Peut-être sa mère... Si tu savais comme il souffre de tout le mal qu'il te fait...

La prison l'a durci, pourtant quand il parle de toi ses yeux sont pleins de larmes et sa gorge est tellement serrée qu'il ne peut plus parler.

Il m'a tendu la main, comme un homme.

— Ce que vous avez fait pour mon père personne ne l'aurait fait, et vous ne demandez rien… Je suis heureux qu'il ait un ami comme vous. Nous sommes deux à le soutenir… C'est pas beaucoup…

Ses yeux aussi étaient pleins de larmes.

Isabelle m'attendait dans la cuisine, éclairée à cette heure par les derniers rayons d'un soleil qui allait disparaître derrière le Luberon. L'instant où la lumière est la plus belle, sur les murs jaunes de cette cuisine.

Elle était assise près de la fenêtre, sans doute en train de me guetter. Son visage était défait.

— D'où viens-tu?

— De l'Évêché, à Marseille. La police voulait m'entendre.

— J'en étais persuadée… Cette histoire de détenu que tu as hébergé… Qu'est-ce qu'il a fait?

— Je ne t'ai dit qu'une partie de la vérité, Isabelle, j'ai hébergé un évadé. Un homme dangereux.

— Tu ne m'apprends rien. Je savais que c'était beaucoup plus grave que les quelques mots que tu me dis… Tu viens de vivre des mois terribles. Je t'observe chaque jour, tu oublies de fermer les portes quand tu pars, tu perds tout, tu ne m'entends pas, je répète trois fois la même question… Je vivais avec un homme paisible, depuis quelques mois je vis avec un fantôme. Chaque nuit j'écoute ton sommeil, il est plein de choses monstrueuses. Tu te bats avec des créatures que je ne connais pas. Je dors contre un corps rempli d'angoisses et de démons… Un jour tu m'as dit: « Quelqu'un tue des gens autour de moi et je suis responsable de leur mort… Même réveillé je me sens coupable. » Tu t'en souviens? Je ne parviens pas à chasser cette phrase de ma tête. Qu'est-ce qu'elle signifie, René? Qui est cet homme? Qui sont ces morts?…

Je me suis assis près d'elle.

— Cette phrase est le reflet de ma vie, Isabelle. Kader s'est évadé, il s'est peut-être vengé. J'ai été pris dans un engrenage horrible. La police me soupçonne de l'avoir aidé.

— Où est-il?

— Ils l'ont repris.

— C'est mieux ainsi, pour vous deux. Qu'est-ce que tu leur as dit?

— Rien. Ils n'ont que des doutes.

— Tu as fait quelque chose de grave?

— Je suis complice de sa cavale, je l'ai beaucoup trop aidé.

Nous sommes restés silencieux un long moment. Le soleil n'éclairait plus la cuisine et j'avais pris ses mains. Son visage était gris, effondré. Je n'avais pas évoqué le cadavre de Maldera, un peu

plus haut dans la colline, ni celui du gros ferrailleur, elle se serait évanouie.

— Tu m'avais réservé une chambre dans ce
petit hôtel romantique d'Annecy, au-dessus
d'un canal. Pendant quelques jours j'avais tout
oublié, je marchais au bord du lac, je regardais
les montagnes se refléter dans l'eau, les fleurs, les
bateaux... Il faut que je reparte, Isabelle, c'est toi
qui avais raison. Je vais essayer de m'éloigner de
ce cauchemar, d'oublier cette peur.

— Tu vas partir combien de temps ?

— Le temps que mon corps s'apaise. Je ne
peux pas continuer à bondir contre toi, la nuit,
à tout perdre, à ne plus te voir. Tu es de plus en
plus belle et je ne te vois plus. Je ne vois que des
monstres. Je ne veux pas te perdre et c'est ce qui
est en train d'arriver... Si la police vient te poser
des questions, ou n'importe qui d'autre, dis-leur
que la vie avec moi devenait impossible et que tu
m'as demandé de partir, mais que tu ne sais pas
où je suis.

— La police je comprends... Qui sont les
autres ?

— Dans ce monde de loups on se fait des
ennemis, Kader en avait, je l'ai aidé. Je pensais
aider un évadé. Il était en guerre. Évadé et en
guerre. Je ne sais pas qui sont les autres. Des
loups affamés...

— Tu sais où tu vas aller ?

— Non.

— Tu m'appelleras ?

— Pas ici, nous allons être sur écoute. Je t'appellerai d'une cabine, à l'école, pendant la récréation. Je t'appellerai une fois par semaine.

Jusqu'à ce qu'il fasse nuit, je l'ai serrée dans mes bras.

Nous nous sommes couchés tôt. Je l'ai encore serrée très fort, nue contre mon ventre. Sa peau n'avait jamais été aussi douce. Nous ne dormions pas. Parfois elle pleurait doucement et le sein qui était dans ma main se soulevait plus vite.

À cinq heures du matin, je me suis levé. J'ai jeté quelques vêtements dans un sac de voyage, trois affaires de toilette, mes papiers, et j'ai filé.

Isabelle n'avait pas bougé. À l'est, l'eau verte de l'aube dessinait les collines encore noires. Ces collines où elle avait grandi et qui étaient sa vie.

Ces collines où j'espérais revenir un jour.

21 avril

Disparaître… Lorsque j'ai franchi la Durance, j'ai baissé ma vitre, pris mon portable au fond de ma poche et je l'ai balancé dans le courant, par-dessus la balustrade du pont. On a tous, sans le savoir, un policier dans la poche.

L'eau bouillonnait en dessous. Sa couleur café au lait a éveillé mon ventre vide, qui s'est mis à parler. Il devait y avoir de gros orages, plus haut dans les montagnes. Je m'arrêterai sur la route pour boire un vrai café au lait. Quelle route ?…

Quand je suis arrivé au grand rond-point, à l'entrée de Manosque, je me suis garé sur le côté. À gauche Marseille, la mer... À droite les Alpes, la Suisse, la route jusqu'en Finlande... Au milieu Manosque, puis le désert des ravins, des gorges et des collines, quelques fermes sous le cri rauque des corbeaux et le vol silencieux des buses...

J'ai pris à droite, la Finlande, ça me laissait le temps de réfléchir...

C'est en passant sous la citadelle de Sisteron, entre deux rochers, que j'ai pensé à Odile, la bibliothécaire de Saint-Firmin. Il m'a semblé qu'elle surgissait dans ma tête, soudain, en franchissant cette porte des Alpes. Si j'avais tourné à droite, c'est qu'Odile existait, discrètement, dans un coin de ma mémoire, petit point de repère amical au fond d'une étroite vallée. Nous avons tous besoin d'une voix douce qui nous fait signe au bon moment. Notre mémoire n'est faite que de petits tiroirs, dont nous ignorons tout et qui ouvrent au bon moment un chemin, une porte, une route.

Depuis deux ans Odile m'appelait de temps en temps, sans se décourager : « Venez nous voir, je fais lire vos livres dans tout le Valgaudemar. Vous avez beaucoup de lecteurs ici, qui aimeraient bien vous rencontrer. Venez, vous pouvez dormir à la maison et y rester autant que vous voulez. Si vous aimez marcher, comme dans vos romans, notre vallée est merveilleuse, il y a des lacs, des cascades partout et des tartes aux myrtilles. » Voix timide, hésitante, si déterminée.

Je répondais : « Oui, je vous le promets, je viendrai », puis j'oubliais… Ces derniers mois j'avais même oublié le sens des mots. Cette voix était comme une main au bord du gouffre.

Je me suis garé, deux heures plus tard, devant le Café du Midi, un bistrot de Saint-Firmin. Deux vieux étaient attablés devant un verre de blanc au fond de la salle. Une femme tournait distraitement les pages d'un journal, debout derrière le comptoir. Fraîche et belle comme une vallée qui s'éveille.

Je lui ai demandé si elle connaissait Odile, la bibliothécaire du village.

— Odile ! C'est ma meilleure amie ! Elle est là tous les soirs ! C'est la dernière maison du village, quand vous filez sur La Chapelle, au bord de la rivière. Un vieux chalet aux volets rouges… Vous êtes un ami ?

— Bientôt…

Je lui ai demandé aussi si elle pouvait me servir un grand bol de café au lait, une soupière de café au lait, une bassine… J'en mourais d'envie depuis la Durance. Chaque fois que j'avais longé cette rivière, ma bouche s'était remplie de l'arôme et du goût du café au lait.

Odile était dans son jardin, un râteau dans les mains. Elle a arrondi ses yeux, sa bouche.

— Vous, ici?... Quelle surprise! Vous auriez dû me prévenir... Regardez...

Elle me montrait son jean déchiré, ses grosses chaussures alourdies de boue.

— J'adore les femmes qui jardinent, c'est rassurant... Vous m'avez reconnu?

Elle a quitté son râteau, retiré ses gants de jardin et m'a apporté son sourire.

— Quand j'ai commencé à lire vos livres, je suis allée voir sur Internet à quoi vous ressembliez. On n'invite pas n'importe qui ici... De toute manière personne ne vient, ou alors ils tombent de la lune. Et vous, vous êtes tombé du lit? Vous êtes dans la plus belle vallée du monde. Personne ne le sait.

Cinq minutes plus tard, je buvais un autre bol de café au lait, sur la toile cirée de sa cuisine.

— J'aurais collé des affiches partout, envoyé des invitations... Les gens seront déçus... Personne ne sait...

— Je ne suis pas venu pour parler de mes livres, Odile, je suis venu chercher des mots, retrouver des mots. Depuis plusieurs mois plus rien ne sort de mon stylo. Il fallait que je bouge, que je parte.

— Vous êtes venu chercher une histoire dans notre vallée?

— Même pas une histoire, une atmosphère, une concentration... On ne cherche pas une histoire d'amour, elle vous tombe dessus un beau matin, au bord d'une route. Un roman commence comme une histoire d'amour. Je suis venu perdre ma peur. On ne peut pas être amoureux quand on a peur.

— Peur de quoi ?

— Je n'en sais rien... Je vais essayer d'entrer dans cette vallée, de la comprendre avec ma peau, mes oreilles, mon ventre. J'ai envie de marcher seul vers les lacs et les sommets dont vous m'avez parlé. Ramasser des mots nouveaux, sur des chemins que je ne connais pas... (L'odeur du bois et de l'amitié éclairaient cette maison. Je me suis jeté à l'eau :) Je pourrais peut-être dormir chez vous quelques jours, Odile, j'ai besoin d'une vallée que les hommes ignorent ; des forêts, des prés, des torrents, quelques vaches... J'ai besoin de silence pour retrouver la paix de mon cahier.

— Je suis très touchée que vous ayez pensé à moi, profondément émue. Si je m'attendais... je vais vous donner la chambre du haut, la préférée de mes enfants. Ils se battaient pour l'avoir. Vous aurez toute la vallée sous vos yeux et un petit balcon, la nuit vous dormirez avec le grondement du torrent. Il y a une table devant la fenêtre, je suis persuadée que les mots vont revenir. Je vis seule ici maintenant, après avoir connu le tumulte de quatre enfants. Je ne vous dérangerai pas.

Elle m'a accompagné dans une vaste chambre en soupente. Le plancher craquait, l'escalier de bois, les meubles, les poutres craquaient.

— Ce chalet a deux siècles. Depuis deux siècles il parle jour et nuit.

Le soleil touchait à peine ce côté de la vallée, l'adret, sur les montagnes, en face, c'était encore la nuit, un mur noir de sapins et de mélèzes. Je lui ai dit :

— Je déferai mon sac plus tard, allons marcher, montrez-moi vos chemins.

Je suis resté plus de deux semaines dans le vieux chalet d'Odile. Du plus profond de la vallée on voyait briller les points rouges de ses volets.

Durant ces deux semaines j'ai marché, travaillé, regardé, transpiré. Nous avons beaucoup parlé, chaque soir, tous les deux.

Dès le premier jour je me suis aperçu qu'elle n'avait presque plus de bois de chauffage, derrière sa maison. Je lui ai demandé si je pouvais emprunter sa grosse voiture et la remorque. J'ai fait plusieurs voyages à travers la forêt, en quête de belles bûches de mélèze, puis en marchant sur les bords du lac du Sautet, un peu plus bas, j'ai remarqué des centaines de troncs d'arbres arrachés par la débâcle du printemps et les orages aux rives du Drac, aussi déchaîné et bouillonnant que la Durance.

Tous ces bois flottés roulaient sous le soleil, comme de longs poissons morts, et venaient bousculer les pontons d'une base nautique fermée depuis le début de l'hiver.

J'ai loué une tronçonneuse et j'ai rempli des

dizaines de remorques d'épaisses branches et de troncs de bouleaux, de fayards, de chênes. J'écartais l'épicéa qui brûle trop vite et encrasse les cheminées.

Ces arbres, parfois entiers, venaient s'accumuler dans les anses abritées, poussés par le courant. Je faisais sans doute le boulot de l'ONF ou de l'EDF, peu importe, je prenais un immense plaisir à faire rugir la tronçonneuse.

J'étais seul sous la lumière étincelante de l'Obiou, encore crêté de neige. Je travaillais jusqu'à ce que la nuit referme la vallée. Le sommet de l'Obiou était rose un instant, puis bleu. Jusqu'aux dernières lueurs, j'empilais ces centaines de bûches autour du vieux chalet et sous des abris de tôle.

Je travaillais en pensant à Isabelle, à son morceau de terre, dans le petit vallon. Qui allait s'occuper des arbres maintenant?... Tailler, débroussailler, bêcher autour des oliviers, des cerisiers?... Qui désherberait les fraisiers, les framboisiers? Je l'avais laissée seule, dans cette maison isolée, au bord de la colline. Son inquiétude devait être immense.

Ici, je ne risquais rien, écrasé par les forêts, la fatigue et le rugissement de la tronçonneuse. Isabelle devait fermer ses volets, le soir, scrutant anxieusement les ombres du vallon et le petit chemin sous les amandiers. Elle n'est pas très courageuse et je lui avais raconté de terrifiantes choses.

C'était plus facile pour moi. Le soir, avec Odile, nous allions chez son amie, Annie, au Café du Midi. Dès qu'elle avait un instant, entre deux clients, Annie venait s'asseoir avec nous. La salle sentait la sciure et le vin chaud. Nous mangions en bavardant des soupes de potiron, des gratins de ravioles et des tartes aux noix ou aux myrtilles.

Nous nous étions tutoyés sans nous en rendre compte, sans doute sur un chemin. C'est dur de se vouvoyer sur un chemin qui monte.

Odile avait été institutrice à Saint-Firmin, y avait élevé quatre enfants, un à elle, trois adoptés. Elle avait trimé pour ces quatre enfants et tous ceux de l'école, elle était partie très tôt à la retraite. Maintenant, seule, elle s'occupait bénévolement de la bibliothèque de Saint-Firmin et d'un cinéma itinérant, pour tromper les longues et silencieuses journées d'hiver.

Isabelle, Odile… Je vivais dans la lumière douce et rassurante des institutrices, au bord de la forêt.

Nous rentrions boire un dernier verre de génépi, devant une immense cheminée en grès clair, dans laquelle elle avait installé un insert qui avalait des bûches de soixante centimètres. Il fallait que son chat s'étire pour qu'on l'aperçoive. Un chat noir et blanc, étalé sur un tapis noir et blanc, juste devant les flammes.

Quand tous les abris à bois ont été pleins, j'ai entrepris de bêcher quelques rangées de pommiers et de mirabelliers autour de la maison. Ces arbres rappelaient à Odile son enfance en Alsace.

Le printemps dans ces prés, au bord d'une rivière, m'aurait fait oublier le cauchemar que je venais de fuir et qui m'attendait sans doute par-delà ces montagnes aux muscles sombres.

Les gens au village commençaient à poser des questions. Odile avait un amant que l'on voyait tous les soirs au Café du Midi et qui sillonnait les routes, une remorque pleine de bois. Les nouvelles vont vite, dans ces étroites vallées où les étrangers sont rares.

Les gendarmes devaient tendre l'oreille et ouvrir l'œil. À part les accidents de la route, les risques d'avalanches et de verglas, il ne se passe pas grand-chose par ici, avant le mois de juillet.

Un matin, j'ai téléphoné à ma banque, à Manosque. Je leur ai dit que j'allais entreprendre de grands travaux chez moi et que j'avais besoin de retirer tout l'argent disponible sur mon compte. Ils m'ont dit que je pouvais passer dès le lendemain.

Deux jours plus tard, j'ai dit à Odile que je reviendrais bientôt, tailler ses arbres et surtout sa haie. Elle m'a demandé si j'avais retrouvé des mots. « J'ai trouvé la paix, lui ai-je dit, entre le lac, ses pentes boisées et le Café du Midi. Mon nouveau roman, je l'écrirai dans ta chambre, là-haut, sur la petite table, en regardant les mots rouler dans le torrent. »

J'ai serré Odile dans mes bras et j'ai repris la route. Je n'avais pas évoqué les mois terribles que je venais de vivre. Intelligente, discrète, elle avait tout compris. Sa vie non plus n'avait pas dû être facile.

Un peu avant midi, je suis sorti de la banque, une enveloppe glissée dans la poche de mon blouson, pleine de billets.

J'ai pris une petite route que peu de gens empruntent ici, elle grimpe vers le col de la Mort d'Imbert, à travers de belles forêts de pins qui embaument, dès le printemps, la résine tiède et le thym.

Après chaque virage je ralentissais, scrutais mon rétroviseur. Personne ne me suivait.

Je me suis arrêté sur l'ancien pont de chemin de fer qui enjambe le Largue. C'est là que je venais me baigner et regarder les filles, dans ma jeunesse, les jours d'été. La petite plage s'était déplacée sur l'autre rive, un peu plus bas. Les jeunes venaient-ils encore ici, rire, s'étendre sur les galets brûlants, s'embrasser, nus, sous les feuilles des saules et des peupliers, leurs soupirs emportés par le bruit de l'eau?

Toutes ces routes que nous avions sillonnées à vélo, à solex, sous les soleils torrides de juillet. Petites routes de l'insouciance, des fêtes foraines, des amours d'un soir. Les routes étaient plus longues aujourd'hui, plus droites. Menaient-elles quelque part?

Comme je l'avais fait deux semaines plus tôt, avec mon portable, j'ai jeté ma carte bleue dans le courant et j'ai disparu.

*

J'ai pris des trains qui traversaient des plaines rayées de cyprès et de vignes, franchissaient des fleuves où glissaient des péniches vertes.

De loin en loin, à travers la vitre, j'ai aperçu des châteaux forts, leurs tours de pierre blonde éclairaient le sommet des collines, au bord du ciel. Les éoliennes faisaient circuler le vent, en agitant leurs bras. Les os blanchis des vieux villages dégringolaient le long des coteaux.

J'ai traversé des terres de brouillard, suivi un instant des chemins qui tournaient et plongeaient dans le miroir gris d'un étang. Les forêts sortaient de l'hiver dans leur manteau de lierre. Nous traversions, dans le silence, des gares abandonnées, des rivières qui n'allaient nulle part. Des clochers rouges surgissaient après des clochers blancs. Des jardins de banlieue, autour d'une cabane penchée. Des vaches blanches, la tête dans les fleurs. Des carcasses de voitures au coin d'un bois, des vaches rousses, sous le mur ensoleillé d'un cimetière des christs d'acier à haute tension…

Je ne savais pas où j'allais. Des familles mangeaient des poulets entiers, vidaient des bouteilles d'Évian remplies de jus d'orange. Des femmes dormaient la bouche ouverte. Les femmes du Sud s'endorment n'importe où, elles posent leur tête dans une main ouverte et entrent dans des rêves qu'elles ne racontent jamais.

J'avais vendu ma voiture, dans un petit garage, à la sortie d'Avignon.

Je suis descendu dans des gares, je suis monté dans des bus de toutes les couleurs, j'ai dormi dans d'anciens relais de poste aux armoires vernies. Des maîtres d'hôtel sont là, depuis un demi-siècle, ils vous parlent sans vous voir, vous servent en dormant. Je n'avais besoin que de maîtres d'hôtel qui rêvent d'un jardin en vous parlant poliment des charmes de la vallée et du potage du soir. Ils attendent la retraite, une serviette blanche sur le bras. Ils n'entendent que le bruit d'une fourchette qui tombe, le reste ne les regarde pas.

Je suis remonté dans des trains qui traversaient le printemps. Après chaque forêt, chaque pont, chaque gare, je disparaissais dans le printemps.

Partout des tracteurs tournaient dans les champs, laissant derrière eux une terre ouverte et sombre. Moi, je tournais une page de ma vie. Une page que je n'avais pas fini d'écrire, sur un cahier merveilleux où flottait le visage d'Isabelle.

Sur cette page figuraient aussi les mois les plus terribles de ma vie. Sur la même colline, il y avait la lumière d'Isabelle et le corps d'un homme qui pourrissait entre les racines d'un arbre.

Trouver un pays où les hommes n'ont pas de pays. Une ville où ils n'ont pas d'adresse. Descendre dans une gare qui n'existe plus et entrer dans cette ville sans mémoire, longer des rues sans nom.

De loin, toutes les villes sont bleues. Laquelle accepterait un homme qui laissait dans chaque gare un lambeau de son passé? J'aurais voulu être la beauté de Jean Valjean, la solitude de Bardamu, celle, misérable et solaire, de Jean Genet sur les routes d'Europe. Je n'étais que l'homme qui passe.

*

Novembre

Un jour je suis sorti d'une gare sombre. Devant moi, la mer étincelait. Les gabians riaient dans la lumière.

J'ai dormi trois nuits dans un petit hôtel, au bout d'un quai qui sentait l'orange, puis j'ai loué, dans une ruelle en pente qui dégringolait vers le port, un logement étrange, sans doute l'un des moins chers de la ville.

Le vieil homme qui habite à côté et qui reste tout le jour assis devant sa porte m'a dit que lorsqu'il était enfant, c'était l'atelier d'un matelassier, devenu plus tard un garage.

Peut-on appeler ça un appartement?... Il y a une grande pièce avec un évier dans un coin, un réchaud à gaz ; au fond une chambre humide et sombre, sans fenêtre. Le plafond est tapissé de pages de quotidiens qui ont plus de vingt ans ; les murs sont couverts de photos couleurs, glacées, de magazines de mode. Des milliers de femmes minces posent ou déambulent autour de moi, sous des titres écrits en cinq ou six langues. Je relis souvent les mêmes, écrits en français : «Album de plage», «Élégance des ensembles», «Offrez-vous une touche glamour», «Sensationnelle en petite robe noire»...

Dans la pièce où je vis, j'ai trouvé en arrivant un vieux piano droit, peint en violet, un mannequin d'osier et une machine à coudre Singer, à pédale, la même que celle qu'utilisait ma mère, à Marseille, dans les années cinquante.

C'est une ville perdue dans un coin de la Méditerranée, comme il y en a des centaines. Dès que l'homme a pu abriter son bateau, il a créé un port.

Souvent le matin je vais dans les halles, à deux pas de chez moi. Je retrouve Mme Dominguez. Elle a quatre-vingt-onze ans. Elle rayonne lorsque je l'appelle Incarnation. Je commande un café, elle, un demi de bière.

Mme Dominguez a eu sept enfants avec un navigateur qui est ailleurs ou mort, elle ne sait pas. Elle danse seule chez elle, le tango, le paso doble, le cha-cha-cha... Tous les matins elle sort un gros portefeuille beige et me montre les photos de ses enfants, pas celle du marin.

Elle a plongé ses mains dans l'eau de Javel durant toute sa vie, elles sont blanches et fines. Ses lèvres sont un souvenir. Elles sont aussi rouges qu'un coquelicot. Toute la jeunesse est dans ce coquelicot. Toute la mélancolie est dans l'obscurité fatiguée de ses yeux.

Quand le patron du bar est débordé, il me fait signe. Je passe derrière le comptoir et j'envoie les cafés. Les solitaires sont reconnaissants de pouvoir dire bonjour en retirant leurs casquettes. Ils surgissent de la nuit et s'engouffrent ici dès l'ouverture. Jusqu'à dix heures du matin le monde est doux.

Je gagne trois sous et je fais partie des meubles. Lorsqu'on ne sait même plus ce que l'on fuit, c'est bon de faire partie des meubles.

Dans un port, personne ne vous demande rien. Sans se lasser, la mer amène et remporte. Des milliers de vies se croisent, se frôlent, se racontent, se séparent, disparaissent. La mer embarque tout, les mots et les visages.

L'après-midi je regarde les pêcheurs aux visages mordus par le soleil. Ils remaillent sur le quai des kilomètres de résille blanche, avec une patience d'araignée. Les gabians tournent au-dessus des chaluts bleu et blanc, comme dans tous les ports du monde.

Les grues ressemblent à des girafes tournées vers le large.

Il y a six mois que je suis arrivé dans ce port. J'aurais pu me perdre dans une capitale, j'avais besoin de sentir l'odeur de la mer.

Toutes les rues dévalent vers la lumière, sous un soleil de plomb. La moindre petite maison a son balcon en fer forgé, rougi de géraniums. Les collines qui dominent la ville ont des dos de baleine.

J'ai fait mes premiers pas sur le Vieux-Port de Marseille. La lumière, les cris, l'odeur de la peinture fraîche, la danse souple des barques sous le clocher des Accoules...

Je me souviens de mon arrivée à Bastia, un matin d'hiver. Le kiosque à musique et les palmiers, sur une place rose. Une ville en escaliers, recouverte de lauzes. Le premier bistrot où j'étais entré, sur un marché. On se souvient toujours du premier bistrot où l'on entre, dans une ville inconnue. Des têtes mal rasées, des bouches édentées, des voix de pirates brûlées par l'aventure et l'anis, l'odeur des beignets au brocciu.

Je venais de déserter l'armée, les gendarmes étaient à mes trousses, j'avais vingt ans... Ils avaient des têtes d'évadés, c'était rassurant.

Une fois par semaine depuis six mois, j'appelle Isabelle, à l'école, pendant la récréation. Il y a encore quelques cabines téléphoniques ici. Pendant tout l'été elle est revenue à l'école, le mardi matin à dix heures. Sa voix est éteinte, lointaine... Elle me pose très peu de questions. Nous parlons du jardin, de la chaleur, du village.

Elle ne sait pas où je suis. Imagine-t-elle un port, un chalet de montagne, la banlieue poussiéreuse d'une grande ville d'Afrique ?

Il y a trois jours, elle m'a dit qu'elle était anxieuse, fatiguée, que deux hommes venaient parfois observer la maison, par-dessus la haie, toujours les mêmes. Ils ne se cachent même pas.

Elle a commencé des séances de massage, un rituel japonais avec du beurre de karité parfumé à la poudre de riz et à la fleur de cerisier : « Il n'y a que ça qui me détende un peu, pendant quelques heures, le reste du temps mon dos est en bois. » Je n'ai pas osé lui demander qui la massait. Est-ce que des mains d'homme pétrissent ce corps merveilleux ? Ai-je le droit d'être jaloux, avec tout ce que je lui fais subir ? Cette attente, ce silence, cette peur...

Sa voix s'éloigne encore lorsqu'elle me demande combien de temps je vais rester là-bas. Lorsqu'elle dit « là-bas », ses mots s'étouffent au bord d'un désert qui n'existe pas.

Depuis la rentrée des classes, elle est prête à vendre la maison pour venir me rejoindre. Entretenir tous ces arbres est au-dessus de ses forces et n'a plus aucun sens. « Cet été, j'ai laissé mourir toutes les fleurs, m'a-t-elle dit, je ne les vois plus. Je ne suis pas allée une seule fois lire au bord de la rivière. » Le matin, dans les halles, je regarde les mains blanches de Mme Dominguez et son coquelicot de jeunesse. Je n'ai devant les yeux que la douceur du visage d'Isabelle, ses paupières légèrement baissées sur la page d'un livre, au bord de la rivière. Le bruit de l'eau emporte les quelques mots qu'elle me dit lorsqu'elle lève la tête. Elle part marcher longtemps dans le courant, le long des saules, puis je vois son corps réapparaître, sous le pont, souple, gracieux, à peine déséquilibré par les galets gluants de mousse. Elle est un léger funambule doré, en équilibre sur l'écume.

L'après-midi je vais retrouver mon enfance, au milieu des pêcheurs. Ma mère est assise dans la barque de mon grand-père. Elle est jeune, ses cheveux brillent au soleil, elle me sourit. Nous allons sortir du port, passer entre les murailles blondes des deux forts, sauter sur les premières vagues vers le château d'If. Ma mère me regarde, les mains croisées sur ses genoux. Elle est jeune dans son chemisier blanc. Rien ne peut nous arriver.

Dans le petit bistrot des halles où je sers des cafés, je jette un coup d'œil sur les journaux français que les clients lisent et abandonnent, avant de monter sur un bateau. Ce matin mon cœur a sauté. Sur la première page d'un quotidien qui traînait sur une chaise, le titre était énorme :

SPECTACULAIRE ÉVASION À MARSEILLE !

J'ai lu les premières lignes, debout :

Hier, un peu avant midi, Kader Hotmane, surnommé le Roi de la belle, est une fois encore parvenu à s'évader du quartier d'isolement de la célèbre prison des Baumettes, aux confins de Marseille…

Le journal avait plus d'une semaine… Je l'ai reposé et je suis sorti.

La lumière sur la ville n'était plus la même. Les gabians tournaient dans un silence blanc. J'allais le long des quais, comme au fil d'un vertige, d'un étrange sommeil. Je ne voyais rien. Un homme m'avait ouvert les portes du mal, les portes de la peur. Sur ce quai, au milieu des thoniers, des grues, des filets, dans ce petit coin perdu du monde, j'aurais dû être foudroyé. Je souriais.

Manosque, le 25 décembre 2016

DU MÊME AUTEUR

Aux Éditions Denoël

LES CHEMINS NOIRS, 1988 (Folio n° 2361). Prix Populiste 1989

TENDRESSE DES LOUPS, 1990 (Folio n° 3109). Prix Mottart de l'Académie française 1990

LES NUITS D'ALICE, 1992 (Folio n° 2624). Prix spécial du jury du Levant 1992

LE VOLEUR D'INNOCENCE, 1994 (Folio n° 2828)

OÙ SE PERDENT LES HOMMES, 1996 (Folio n° 3354)

ELLE DANSE DANS LE NOIR, 1998 (Folio n° 3576). Prix Paul-Léautaud 1998

ON NE S'ENDORT JAMAIS SEUL, 2000 (Folio n° 3652). Prix Antigone 2001

L'ÉTÉ, 2002 (Folio n° 4419)

LETTRE À MES TUEURS, 2004 (Folio Policier n° 428)

MAUDIT LE JOUR, 2006 (Folio n° 4810)

TU TOMBERAS AVEC LA NUIT, 2008 (Folio n° 4970). Prix Nice Baie des Anges 2008 et prix Monte-Cristo 2009

Aux Éditions Gallimard

LA FIANCÉE DES CORBEAUX, 2011 (Folio n° 5476). Prix Jean-Carrière 2011

SOUS LA VILLE ROUGE, 2013 (Folio n° 5852)

JE ME SOUVIENS DE TOUS VOS RÊVES, 2016 (Folio n° 6390). Grand Prix littéraire de Provence 2016

LES VIVANTS AU PRIX DES MORTS, 2017. Prix des lecteurs Gallimard 2017 (Folio n° 6573)

Composition Entrelignes
Impression Maury Imprimeur
45330 Malesherbes
le 19 août 2019
Dépôt légal : août 2019
1ᵉʳ dépôt légal dans la collection : décembre 2018
Numéro d'imprimeur : 239507

ISBN 978-2-07-282297-1. / Imprimé en France.